禁断挑战制胜攻略

攻关秘籍 4

全国百佳图书出版单位
凤凰出版传媒集团 江苏美术出版社

SPT BOSS挑战篇

蘑菇怪

赛尔号飞船停靠在了克洛斯星的大气层外。克洛斯星是一个环境奇异，昼夜分明的星球。赛尔带上了一只精灵一同前往这个星球探索可利用的能源，在探索过程中赛尔无意间来到了克洛斯星的树林区，发现有个卫兵头戴喷火帽对着一个巨大的精灵喷火，卫兵一边喷火一边呼喊着寻求帮助，赛尔得知这个巨大的精灵叫蘑菇怪，一旦它开始发狂就会散播有毒气体，这些毒气不仅破坏星球环境，也会给能源探索增加困难。于是赛尔决定帮助卫兵一起对抗蘑菇精，最终赛尔与自己的精灵凭借不屈的意志和勇气战胜了这个巨大的精灵。

1. BOSS信息

名称	蘑菇怪		
所在场景	克洛斯星林间		
属性	草	等级	15
体力	100		
特性	–		
获得奖励	小蘑菇的精元		

2. 挑战方法

赛尔首先要在头部换装火焰喷射器，来到克洛斯星第三层，点击瞄准按钮对着BOSS使用有特殊效果，BOSS在60秒内被喷火10次后防护罩会消失，可以和好友们一起完成这个环节，失去保护罩的BOSS在60秒后会恢复防护罩，在BOSS恢复防护罩前用户可以接触BOSS进行战斗。

3. 攻关建议

推荐精灵 火系精灵。

推荐战法 因为是初期的SPT BOSS，所以难度较小。只要大家将自己的火系精灵练至15级以上，即可战胜蘑菇怪。战胜后，得到精灵小蘑菇的精元。

注 得到精元后，放入分子转化仪，24小时后即可得到小蘑菇。将其培养至20级，会进化为蘑菇怪。

Name	属性	进化等级	招式	攻击类型	威力	使用次数	学习等级	特殊效果
小蘑菇（ID/46）	草	20	撞击	物理攻击	35	35	1	–
			瞪眼	属性攻击	–	30	4	使对方防御降低1个等级
			针刺	特殊攻击	35	10	7	–
			毒粉	属性攻击	–	35	10	命中时使对方中毒
			弹跳踢	物理攻击	30	20	13	连续攻击对方2~3次
			毒泡	特殊攻击	45	25	17	–
蘑菇怪（ID/47）	草	–	毒气冲击	物理攻击	60	20	21	10%的几率使对方中毒
			栖息	属性攻击	–	10	24	恢复自身一半的体力
			毒雾	特殊攻击	60	20	27	10%的几率使对方中毒
			毒气集中	属性攻击	–	30	31	使自身特攻提升2个等级
			地震	物理攻击	100	10	35	–
			四方刀叶	特殊攻击	80	20	39	–
			防护罩	属性攻击	–	10	43	可以完全抵挡1次攻击
			泰山压顶	物理攻击	120	5	47	技能使用成功后，使自身疲惫1回合
			光能射线	特殊攻击	100	10	51	–
			光源波	特殊攻击	120	5	55	–

卫兵从海洋星传来电讯：斯塔克邪恶组织的飞船刚从海洋星上空飞过，他们向海中洒了大量飞船上的垃圾和变质燃料，现在海水环境急剧恶化，在海底深处有一只巨大的精灵发狂了。

罗杰船长委派赛尔去海洋星想办法使精灵平静下来，赛尔来到了海洋星海底发现一只巨大的鲨鱼已经失去了理智。

1. BOSS信息

名称	钢牙鲨		
所在场景	海洋星海底		
属性	水	等级	25
体力	200		
特性	–		
获得奖励	道具：黑晶矿		

2. 挑战方法

赛尔要换上潜水套装（超能NONO可以直接进入）来到海洋星最底层，在山洞处可以找到钢牙鲨。上前点击，即可进入战斗。

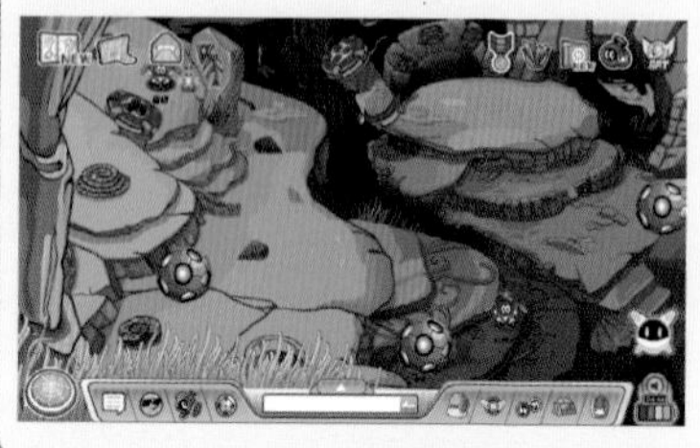

3. 攻关建议

推荐精灵 电系精灵，25级以上。

推荐战法 比蘑菇怪的难度略有提升，但依然属于比较初期的挑战。只要将电系精灵练至25级，即可轻松战胜钢牙鲨。

注 钢牙鲨是利牙鱼的进化形态，希望得到钢牙鲨的赛尔，可以在海洋星第二层捕捉利牙鱼，培养到20级即可进化成为钢牙鲨。

Name	属性	进化等级	招式	攻击类型	威力	使用次数	学习等级	特殊效果
利牙鱼（ID/33）	水	20	齿突	物理攻击	60	25	1	5%的几率使对方害怕
			瞪眼	属性攻击	–	30	4	使对方防御降低1个等级
			愤怒	物理攻击	40	20	7	连续使用每次威力增加20，最高增加威力 进化形态，80
			蓄气	属性攻击	–	30	10	5回合内，提高自身打出致命一击的几率
			鬼脸	属性攻击	–	15	12	使对方速度降低2个等级
			冰之牙	物理攻击	65	15	14	5%的几率使对方害怕
			噪音	属性攻击	–	30	16	使对方防御降低2个等级
			虚张声势	属性攻击	–	15	18	使自身防御提升2个等级
钢牙鲨（ID/34）	水	–	猛击	物理攻击	30	30	16	使对方防御降低2个等级
			咬碎	物理攻击	100	15	26	15%的几率降低对方防御2个等级
			水流喷射	特殊攻击	40	20	30	优先出招
			突进	物理攻击	90	20	34	对方所受伤害的1/4会反弹到自己
			威慑	属性攻击	–	20	37	使对方攻击降低1个等级
			高速移动	属性攻击	–	20	41	使自身速度提升2个等级
			切裂	物理攻击	70	20	46	容易打出致命一击
			佯攻	物理攻击	60	10	50	更加优先出招
			火箭头槌	物理攻击	100	15	56	技能使用成功后，使自身疲惫1回合
			钢牙击	物理攻击	100	15	62	容易打出致命一击

里奥斯

据火山星的卫兵报告，火山星地表的火势越来越猛了，怀疑这种现象是人为造成的，经过雷达探测，火山星的地底下有能量反映。于是赛尔前去调查，赛尔开动脑筋排除了一个个困难来到了火山星的最深处，发现里面竟然有一台仪器，并且还有一个从没见过的机器人带着一个全身冒着火焰的精灵，赛尔与那个机器人展开了一次斗智斗勇的较量，最终击败了邪恶组织的成员和他的精灵，之后在邪恶组织留下的仪器中找到了还在试验阶段的小精灵。

1. BOSS信息

名称	里奥斯		
所在场景	火山星洞穴深处		
属性	火	等级	35
体力	350		
特性	–		
获得奖励	里奥斯的精元		

2. 挑战方法

赛尔从左上入口进入场景，使用瞄准射击功能射击场景上部的岩石使其落下，岩石落下形成可行走区域。用户成功通过2块岩石后到达右侧，换装高压水枪射击地上的火焰，点击里奥斯进行对战。

3. 攻关建议

推荐精灵 推荐赛尔使用水系的精灵，如贝尔。或者将水系精灵伊优练至第3阶段。

推荐战法 首先需要购买少量高级体力恢复药剂。准备妥当后，即可前往挑战里奥斯。战斗中，注意回复自己的体力，很快就可击败对手。

注 得到精元后，放入分子转化仪，24小时后即可得到胡里亚。将其培养至20级，会进化为里奥斯。

Name	属性	进化等级	招式	攻击类型	威力	使用次数	学习等级	特殊效果
胡里奥（ID/41）	火	30	电光火石	物理攻击	40	30	1	优先出招
			火花	特殊攻击	40	25	3	10%的几率使对方烧伤
			摇尾巴	属性攻击	–	30	5	使对方防御降低1个等级
			鬼火	属性攻击	–	15	8	命中时使对方烧伤
			火焰喷射	特殊攻击	95	15	12	10%的几率使对方烧伤
			封印	属性攻击	–	10	15	使对方攻击和特攻降低1个等级
			螺旋火焰	特殊攻击	80	30	18	–
			神秘守护	属性攻击	–	25	21	5回合内，使自身不会受到异常状态影响
			报复	物理攻击	50	10	24	5%的几率使对方害怕
			引诱	属性攻击	–	20	27	使对方特攻降低2个等级
			密集火网	特殊攻击	120	10	29	10%的几率使对方烧伤
里奥斯（ID/42）	火	–	回击	物理攻击	100	30	32	后出招
			阴谋	属性攻击	–	20	36	使对方特攻降低2个等级
			火十字	特殊攻击	90	20	41	–
			幻影	物理攻击	120	10	47	–
			怨念	属性攻击	–	20	51	使对方特防降低2个等级
			烈火燎原	特殊攻击	150	5	56	10%的几率使对方烧伤

提亚斯

虽然赛尔们成功破坏了艾里逊利用陨石袭击赛尔号飞船的计划，但是谁都没有发现艾里逊在云霄星最高层的飞船中留下的一颗蛋，这颗蛋是宇宙海盗最新研发出的变异精灵。现在这个变异精灵孵化了，并且占据了云霄星最高层。与此同时，赛尔号的卫兵发现了这个变异的精灵。

1. BOSS信息

名称	提亚斯		
所在场景	云霄星最高层		
属性	飞行	等级	45
体力	500		
特性	1.闪避：任何技能对自身的命中率都会下降40%；2.会心：自身会心一击率为1/4		
获得奖励	米拉美的精元（正常结束战斗之后，有一定几率获得空气结晶）		

2. 挑战方法

赛尔需要装备飞行套装或者随身跟随超能NONO，来到云霄星最高层。在这里可看到提亚斯，点击进入战斗即可。

3. 攻关建议

推荐精灵 冰系或电系精灵，等级需要在40级左右。

推荐打法 BOSS除了本身特性能额外降低你40%命中率外，还会一招直接降低你命中的技能，一旦你的精灵中了这个技能再要打到BOSS非常不容易，需要替换你的精灵，然后到下回合再替换回来，这样就可以消除被下降的命中，这样多次对BOSS攻击后就能战胜它了。

注 得到精元后，放入分子转化仪，24小时后即可得到米拉美。将其培养至28级，会进化为提亚斯。

Name	属性	进化等级	招式	攻击类型	威力	使用次数	学习等级	特殊效果
米拉美（ID/68）	飞	28	突击	物理攻击	45	40	1	–
			瞪眼	属性攻击	–	30	4	使对方防御降低1个等级
			旋风	特殊攻击	40	35	8	–
			飞翼拍击	物理攻击	60	35	12	–
			飓风	特殊攻击	55	30	16	5%的几率使对方害怕
			高速移动	属性攻击	–	20	20	使自身速度提升2个等级
			飞翼连击	物理攻击	35	35	24	连续攻击对方2~3次
			羽翼飞散	特殊攻击	75	25	27	容易打出致命一击
提亚斯（ID/69）	飞	–	飞空斩	物理攻击	70	25	30	优先出招
			精神干涉	属性攻击	–	10	34	使对方命中降低2个等级
			飞翔之光	特殊攻击	80	15	38	清除对方能力提升的效果
			飞空俯冲	物理攻击	90	15	42	必定命中对方
			精神同步	属性攻击	–	20	46	5回合内，提高自身打出致命一击的几率
			螺旋烈风	特殊攻击	100	15	50	5%的几率使对方害怕
			愤怒意志	属性攻击	–	10	54	使对方防御和特防降低1个等级
			魔能暴风	特殊攻击	150	5	59	技能使用成功后会降低自身特攻1个等级

雷伊

在赫尔卡星有一个鲜为人知的秘密，每当雷雨天气时，会从天上降下一只全身被电流包围的神秘精灵。1000年前宇宙海盗在袭击赫尔卡星人侦查飞船时获取了这一秘密，很早之前宇宙海盗就想捕获这个神秘精灵，直到现在赫尔卡星都没有出现过雷雨天气，宇宙海盗曾经多次试图制造人工降雨的方式来达到雷雨的效果，但是都以失败告终。如今，宇宙海盗中的科学家终于制造出了可以造成雷雨天气的装置，艾里逊前往赫尔卡星的荒地开启了这个装置，神秘精灵出现了。

1. BOSS信息

名称	雷伊		
所在场景	赫尔卡星荒原		
属性	电	等级	60
体力	800		
特性	1.受到电系技能攻击会回复自身相应的体力值；2.受到物理攻击时会使对方100%麻痹；3.伤害减免40%；4.自身所有技能必中		
获得奖励	雷伊的精元		

2. 挑战方法

雷伊只有在特定的情况下才会出现，至于现在以及未来与其相遇的具体要求是什么，赛尔们只有等待系统的通知了。

3. 攻关建议

推荐精灵 特攻型精灵（推荐草系），等级50级左右。

推荐打法 随身携带体力药剂与活力药剂。首先不能使用电系技能去攻击，这样做反而会给BOSS加血。然后由于BOSS使用物理攻击自身会麻痹，所以建议赛尔只使用特殊攻击对付BOSS，注意看准时机服用体力药剂。推荐使用卡鲁克斯的破攻（2-3次）减低BOSS攻击力，然后便可用强力必杀技将其击败。

注 得到精元后，放入分子转化仪，24小时后即可得到雷伊。虽然没有进化形态，但雷伊是《赛尔号》人气度最高、实力最强的精灵之一。

Name	属性	进化等级	招式	攻击类型	威力	使用次数	学习等级	特殊效果
雷伊（ID/70）	电	-	抓	物理攻击	40	35	1	-
			充电	属性攻击	-	20	4	下回合电系技能威力为2倍
			风驰电掣	物理攻击	50	35	8	更加优先出招
			雷电击	特殊攻击	40	40	12	-
			瞪眼	属性攻击	-	30	16	使对方防御降低1个等级
			闪光击	物理攻击	60	35	20	优先出招
			电击光束	特殊攻击	60	60	24	5%的几率使对方麻痹
			雷祭	属性攻击	-	30	28	命中时使对方麻痹
			放电	特殊攻击	80	15	32	5%的几率使对方麻痹
			惊雷切	物理攻击	55	25	36	自身体力少于一半时威力加倍
			电闪雷鸣	特殊攻击	90	25	40	5%的几率使对方麻痹
			雷雨天	属性攻击	-	20	43	使对方防御和特防降低1个等级
			霹雳斩	物理攻击	80	25	47	5%的几率使对方麻痹
			万丈光芒	特殊攻击	75	15	51	解除自身所有的能力下降状态
			白光刃	物理攻击	95	20	55	更加容易打出致命一击
			电闪光	属性攻击	-	30	60	使对方速度和命中降低1个等级
			极电千鸟	特殊攻击	120	5	64	5%的几率使对方麻痹
			瞬雷天闪	物理攻击	150	5	70	5%的几率使对方麻痹

注：经过特训，雷伊还将增加新的技能。

纳多雷

传说双子星上有一只巨大的精灵，它的奇特之处在于即使你使用对它相克的属性攻击它，它也丝毫不为所动，赛尔们是否有办法战胜这只精灵呢。

1. BOSS信息

名称	纳多雷		
所在场景	阿尔法星岩地		
属性	地面	等级	70
体力	1400		
特性	1.钢皮：受到任何伤害减免40%；2.毅力：受到特殊攻击时会使自身特防提升1个等级，可提升6次；3.底力：自身体力与某一属性对应，自身体力每减少1/8，则防御上升1个等级；4.天敌A：若遇到精灵小火猴、烈火猴、烈焰猩猩，则在战斗开始会连续害怕3回合，同时在战斗时自身对以上精灵的所有攻击伤害减半。		
获得奖励	纳多雷的精元		

2. 挑战方法

来到阿尔法星岩地，点击图中位置纳多雷就会出现，再次点击即可进入战斗。

3. 攻关建议

该BOSS拥有新的技能——属性反转。其效果是使自身的属性和对方的属性交换。当与克自己属性的精灵对战时，它会优先使用1次属性反转技能直到状态消失再次使用，当用户交换精灵时，如交换后的精灵仍然克制自己则会再次使用属性反转技能。此外，BOSS新增了所谓的“天敌特性”，天敌精灵可获得更大的效果。

推荐精灵 烈焰猩猩（天敌），60级左右。

推荐战法 高级体力药剂，初级活力药剂。由于这个BOSS会使用属性反转技能，所以使用对它相克属性的精灵会起到反效果，最佳选择也就是烈焰猩猩。

注 得到精元后，放入分子转化仪，24小时后即可得到纳格。纳格17级进化为纳奇鲁，38级进化为纳多雷。

Name	属性	进化等级	招式	攻击类型	威力	使用次数	学习等级	特殊效果
纳格（ID/86）	地	17	叩击	物理攻击	40	40	1	–
			坚硬	属性攻击	–	40	5	使自身防御提升1个等级
			坚强	属性攻击	–	40	11	使自身特防提升1个等级
			地裂	特殊攻击	60	30	16	–
纳奇鲁（ID/87）	地	38	突破	物理攻击	60	30	21	15%的几率降低对方防御1个等级
			飞尘	特殊攻击	75	35	26	15%的几率降低对方命中1个等级
			威慑	属性攻击	–	20	31	使对方攻击降低1个等级
			猛冲	物理攻击	80	30	36	容易打出致命一击
纳多雷（ID/88）	地	–	磁力波	特殊攻击	50	40	40	15%的几率降低对方速度1个等级
			地之守护	属性攻击	–	10	44	恢复自身1/3的体力
			钢砂	特殊攻击	80	25	48	15%的几率降低对方特防1个等级
			气绝冲	物理攻击	60	20	52	10%的几率使对方疲惫
			大地精华	属性攻击	–	10	55	使自身防御和特防提升2个等级
			空掌破	物理攻击	60	25	58	自身体力少于一半时威力加倍
			风尘沙暴	特殊攻击	95	10	61	15%的几率降低对方特攻1个等级
			风沙暴击	物理攻击	105	10	64	15%的几率降低对方攻击1个等级
			属性反转	属性攻击	–	10	70	5回合内，使自身和对方交换属性

在双子贝塔星上有一只机械精灵雷纳多，它与阿尔法星上的纳多雷互相呼应着，到底这两只精灵间有什么秘密呢？

1. BOSS信息

名称	雷纳多		
所在场景	双子贝塔星荒原		
属性	机械	等级	75
体力	1500		
特性	1.钢皮：受到任何伤害减免45%；2.毅力：受到特殊攻击时会使自身的防御提升1个等级，可提升6次；3.底力：自身体力与特防对应，自身体力每减少1/8，则特防上升1个等级；4.气力：自身体力低于375以下时，每次攻击必定致命一击；5.天敌：若遇到精灵伊优、尤里安、巴鲁斯，则在战斗开始会连续害怕3回合，同时战斗时对以上精灵所有攻击伤害减半。		
获得奖励	雷纳多的精元		

2. 挑战方法

赛尔来到双子贝塔星荒原，点击图中位置雷纳多就会出现，然后点击该BOSS，即可进入战斗。

3. 攻关建议

BOSS特殊技能为属性复制，效果是使自身的属性和对方的属性相同。当与克自己属性的精灵对战时，它会优先使用1次属性复制技能直到状态消失再次使用，当用户交换精灵时，如交换后的精灵仍然克制自己则会再次使用属性复制技能。

推荐精灵 伊优、尤里安、巴鲁斯（天敌）

推荐战法 首先请随身携带高级体力药剂。此外，由于这个BOSS会使用属性复制技能，所以使用对它相克属性的精灵也无法发挥作用，最佳选择是巴鲁斯。

注 得到精元后，放入分子转化仪，24小时后即可得到雷格。雷格19级进化为纳奇鲁，39级进化为纳多雷。

Name	属性	进化等级	招式	攻击类型	威力	使用次数	学习等级	特殊效果
雷格（ID/111）	机	19	叩击	物理攻击	40	40	1	–
			坚硬	属性攻击	–	40	5	使自身防御提升1个等级
			坚强	属性攻击	–	40	10	使自身特防提升1个等级
			光波	特殊攻击	45	40	15	–
雷顿塔（ID/112）	机	39	重力波	特殊攻击	60	35	20	15%的几率降低对方速度1个等级
			重击	物理攻击	50	35	25	–
			虚弱光线	属性攻击	–	35	30	使对方攻击和特攻降低1个等级
			激光扫射	特殊攻击	70	30	35	15%的几率降低对方特防1个等级
雷纳多（ID/113）	机	–	铁臂撞击	物理攻击	60	35	40	–
			穿透光束	特殊攻击	70	30	44	必定命中对方
			充能	属性攻击	–	20	48	使对方特攻降低2个等级
			极速射线	特殊攻击	70	30	51	优先出招
			金刚击	物理攻击	100	15	54	15%的几率降低对方防御1个等级
			激光四射	特殊攻击	90	20	57	15%的几率降低对方命中1个等级
			野蛮横扫	物理攻击	80	25	60	对方体力少于一半时威力加倍
			魔动能量	特殊攻击	135	10	63	–
			属性复制	属性攻击	–	10	68	使自身复制对方的属性

阿克希亚

阿克希亚是生活在塞西利亚星上的圣兽，是一个有正义感的精灵。1000年前宇宙海盗在塞西利亚星上空袭击了赫尔卡星人的侦查飞船，飞船迫降到了塞西利亚星上，宇宙海盗追到星球上，此时阿克希亚挺身而出将其击败，保护了赫尔卡星人，但战败的宇宙海盗在逃跑时有一名叫艾里逊的成员将一枚精神控制芯片嵌入阿克希亚体内，导致他突然发狂，随后没了踪迹，无助的赫尔卡星人发出了求救信号。直到今天，赛尔号飞船收到了这个持续发了千年的求救信号。

2. 挑战方法

赛尔来到赛西利亚星第一层，点击图中的阿克西亚，即可进入战斗。

1. BOSS信息

名称	阿克希亚		
所在场景	赛西利亚星第一层		
属性	冰	等级	65
体力	1000		
特性	1.凝神：免疫所有异常状态；2.宁静：免疫能力下降；3.护盾：受到任何伤害减免50%；4.不屈：当体力为1~100时，会自动回复体力到最大值，且不占回合数。		
获得奖励	阿克希亚的精元；正常战斗后，有一定几率获得玄冰		

3. 攻关建议

推荐精灵 火系或机械系精灵，等级必须在65级以上。

推荐战法 使用火系和机械系的技能对付BOSS是比较有效的，但要精确计算BOSS的剩余体力，使用各种威力不同的技能来控制BOSS的体力保持在100以上并很接近100，最后一击需要使用对BOSS威力最大的技能一次性打掉剩余全部体力才能获胜，战斗中积极使用高级体力药剂。

注 得到精元后，放入分子转化仪，24小时后即可得到索拉。索拉18级进化为赫拉丝，38级进化为阿克希亚。

Name	属性	进化等级	招式	攻击类型	威力	使用次数	学习等级	特殊效果
索拉（ID/48）	冰	18	冰之刃	物理攻击	40	40	1	–
			甩尾	物理攻击	45	40	5	–
			霜甲	属性攻击	–	40	9	使自身特防提升1个等级
			冰甲	属性攻击	–	40	13	使自身防御提升1个等级
			冷冻光线	特殊攻击	45	35	17	–
赫拉丝（ID/49）	冰	38	寒冰冻气	特殊攻击	55	30	20	10%的几率使对方冻伤
			破冰尾	物理攻击	60	30	25	15%的几率降低对方防御1个等级
			寒流	属性攻击	–	30	30	使对方速度降低2个等级
			玄冰箭	特殊攻击	70	25	35	–
阿克希亚（ID/50）	冰	–	碎冰	物理攻击	80	20	40	–
			寒冰护体	属性攻击	–	20	43	抵挡50点伤害
			凝冻冰雹	特殊攻击	80	20	47	–
			冰封	属性攻击	–	20	50	使对方防御和特防降低1个等级
			冰天雪地	特殊攻击	100	10	55	10%的几率使对方冻伤
			圣灵闪	物理攻击	100	10	60	–
			极冰风暴	特殊攻击	150	5	67	10%的几率使对方冻伤
			极度冰点	特殊攻击	0	1	75	命中时秒杀对方

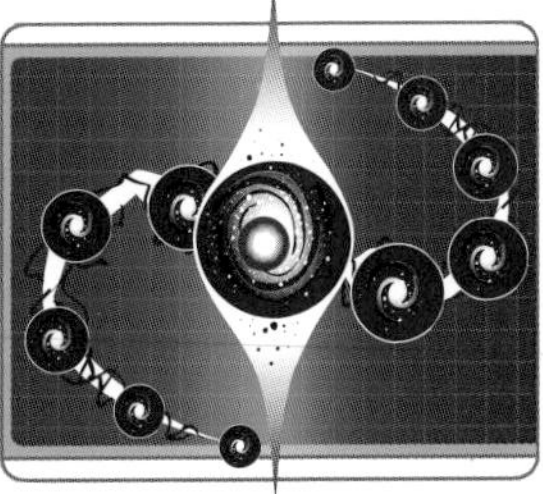

幽灵船上神出鬼没的它，具有一身暗影屏障，身体中的暗影核心是它的生命之源。据说，暗黑之门就是由它所创造。

1. BOSS信息

名称	尤纳斯		
所在场景	拜伦号		
属性	暗影	等级	70
体力	2800		
特性	1.受到任何伤害减免70%；2.自身技能PP值无限；3.受到与自身相同属性的攻击会回复自身相应体力；4.免疫能力下降。5.在贯穿水枪技能命中前，任何技能都对其无效；6.除幻影的技能外，任何能将自身体力降为0的技能都会使其余下1点体力。		
获得奖励	尤纳斯的精元		

2. 挑战方法

赛尔来到拜伦号第一层，点击图中位置，尤纳斯就会出现。点击尤纳斯，即可进入战斗。

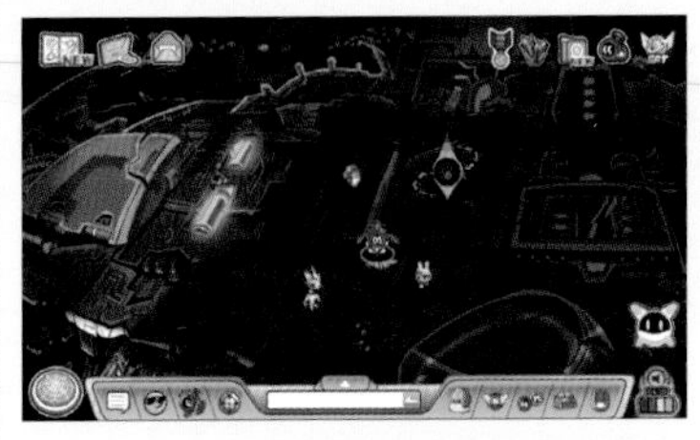

3. 攻关建议

推荐精灵 布鲁克克、里奥斯或者丽莎布布，等级80以上。

推荐战法 在消除暗影屏障前任何技能都不起作用，只有先使用布鲁克克的贯穿水枪击破屏障后才能开始攻击，BOSS在最后会剩余1点体力垂死针扎，此时必须使用里奥斯的幻影给它最终一击。使用丽莎布布时，可以一直使用寄生种子，将尤纳斯的HP快耗尽的时候再给予最终一击。

注 得到精元后，放入分子转化仪，24小时后即可得到影球。影球30级进化为尤纳斯。

Name	属性	进化等级	招式	攻击类型	威力	使用次数	学习等级	特殊效果
影球（ID/131）	暗	30	痛击	物理攻击	40	40	1	容易打出致命一击
			黑射线	特殊攻击	45	40	4	–
			战栗	属性攻击	–	30	8	命中时使对方害怕
			穿刺	物理攻击	55	40	12	容易打出致命一击
			魔网	特殊攻击	60	35	16	15%的几率降低对方速度1个等级
			毁灭打击	物理攻击	80	35	20	15%的几率降低对方防御1个等级
			心灵震爆	属性攻击	–	30	24	使对方特攻和特防降低1个等级
			黑色闪电	特殊攻击	60	35	29	5%的几率使对方麻痹
尤纳斯（ID/132）	暗	–	暗影屏障	属性攻击	–	20	34	可以完全抵挡1次攻击
			黑火焰	特殊攻击	65	30	38	10%的几率使对方烧伤
			夜袭	物理攻击	60	30	42	先出手时威力为2倍
			魔动光波	特殊攻击	85	20	46	15%的几率降低对方特防1个等级
			灵魂附体	属性攻击	–	1	50	消耗自身全部体力,使下一只出战精灵的特攻和特防提升1个等级
			暗影魔球	特殊攻击	70	20	54	自身体力少于一半时威力加倍
			瞬影烈刃	物理攻击	115	10	58	15%的几率降低对方防御1个等级
			黑暗之核	属性攻击	–	20	63	使对方特攻降低2个等级
			黑暗之门	特殊攻击	150	5	70	15%的几率降低对方速度1个等级

魔狮迪露

1. BOSS信息

名称	魔狮迪露		
所在场景	斯诺岩洞		
属性	普通	等级	50
体力	3000000		
特性	1. 受到直接攻击之后，伤害增加100倍；2. 当自身体力降到1000000以下时，每次攻击必定秒杀对方，并且必定先手；3. 自身的PP值无限；4. 自身所有的技能必定命中。		
获得奖励	魔狮迪露的精元		

2. 挑战方法

进入到斯诺岩洞，点击左上角的藤蔓（鼠标连续点击），魔狮迪露就会弹出来了。点击即可进入战斗！

3. 攻关建议

这只BOSS精灵拥有相当夸张的体力，但是它受到的伤害会放大100倍，当BOSS体力降低到1000000以下时就意味着战斗输了，所以在做最后一击前先强化自身或者削弱BOSS。

推荐精灵 巴弗洛或者布布花，里奥斯，巴鲁斯、卡卡或者巨型树妖。

推荐战法 使用巴弗洛镇魂歌是最简单的攻略，如果是使用布布花、依卡莱恩，巨型树妖的话，那么建议其速度最好是在106以上。 布布花先使用一回合寄生种子，马上换下。寄生种子一回合后，里奥斯上场，使用鬼火，一回合，马上换下。然后巴鲁斯上场。这样就有三种技能状态效果叠加：寄生种子吸取体力、鬼火烧伤、巴鲁斯冻伤（中毒），消耗了魔狮迪露最后全部的体力，很快便可获胜！

注 得到精元后，放入分子转化仪，24小时后即可得到露露。30级进化为魔狮迪露。

Name	属性	进化等级	招式	攻击类型	威力	使用次数	学习等级	特殊效果
露露（ID/186）	普	30	抽打	物理攻击	40	40	1	–
			慧眼	属性攻击	–	40	5	使自身命中提升1个等级
			勒紧	物理攻击	30	40	9	对方体力少于一半时威力加倍
			诱惑	属性攻击	–	20	13	使对方命中降低1个等级
			原力光线	特殊攻击	45	35	17	–
			角鞭	物理攻击	60	40	21	5%的几率使对方害怕
			迟缓	属性攻击	–	20	25	使对方速度降低2个等级
			星光	特殊攻击	60	30	29	容易打出致命一击
魔狮迪露（ID/187）	普	–	闪光波	特殊攻击	60	30	33	20%的几率提升自身速度1个等级
			魔眼	属性攻击	–	30	37	命中时使对方害怕
			崩山震	物理攻击	80	25	41	15%的几率降低对方防御1个等级
			疯狂慧星	特殊攻击	90	20	45	清除对方能力提升的效果
			镜影术	属性攻击	–	20	49	将自身的能力下降效果反馈给了对方
			魔翔天驱	物理攻击	100	15	53	必定命中对方
			流星雨	特殊攻击	120	10	57	额外增加20点固定伤害
			天降甘露	属性攻击	–	15	61	使自身攻击和防御以及速度提升了1个等级
			粉尘烈破冲	物理攻击	135	5	68	20%的几率提升自身攻击1个等级

哈莫雷特

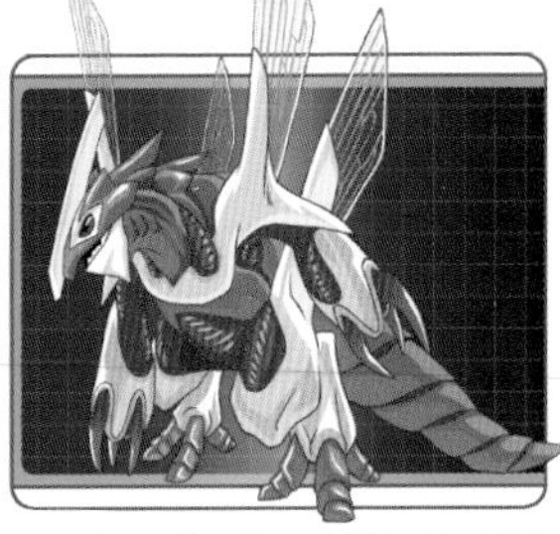

拥有无比巨大的身躯，集水火草三种原能为一身，龙系的神秘力量使它所向无敌。它真正的身份竟是龙族的王子！

1. BOSS信息

名称	哈莫雷特		
所在场景	斯科尔星第一层		
属性	龙	等级	80
体力	10000		
特性	1.免疫所有的异常状态；2.对可使能力下降的招术免疫。3.自身拥有的PP值无限；4.使用以水、火、草为循环顺序的相应属性的技能才能对其有效，并造成相应程度的伤害；5.特定技能对自身必定MISS。		
获得奖励	哈莫雷特的精元		

2. 挑战方法

假如完成了4月23日更新的任务——“恶龙的回归”之后，哈莫雷特的位置就会发生改变，也就是出现在艾迪星的地下洞穴中。赛尔首先要来到艾迪星，进入暮色之城。将三个石碑的位置摆好，即可进入地下洞穴。

3. 攻关建议

推荐战法 需要用水火草3种属性的精灵，以水火草循环的顺序使用相应属性的技能才能对BOSS造成伤害。哈莫雷特的PP值是无限的，所以本战术无效。经过水火草多次循环攻击，就能战胜它了。

注 得到精元后，放入分子转化仪，24小时后得到哈莫。哈莫30级进化为哈莫雷特。

Name	属性	进化等级	招式	攻击类型	威力	使用次数	学习等级	特殊效果
哈莫（ID/215）	龙	30	龙爪	物理攻击	45	40	1	–
			锋利	属性攻击	–	40	6	使自身攻击提升1个等级
			龙吼	特殊攻击	50	40	11	–
			碎石	物理攻击	60	35	15	15%的几率降低对方防御1个等级
			回避	属性攻击	–	15	19	–
			龙磷光	特殊攻击	70	30	23	20%的几率提升自身命中1个等级
			音速撞击	物理攻击	60	30	26	优先出招
			锁敌	属性攻击	–	30	29	使自身命中提升1个等级
哈莫雷特（ID/216）	龙	–	绿光珠	特殊攻击	70	30	33	10%的几率使对方中毒
			狂龙战吼	物理攻击	70	25	37	对方体力少于一半时威力加倍
			水流弹	特殊攻击	80	25	41	10%的几率使对方冻伤
			超速腾飞	属性攻击	–	20	45	使自身速度提升2个等级
			炎火球	特殊攻击	90	20	50	10%的几率使对方烧伤
			龙爪闪空破	物理攻击	100	15	55	额外增加40点固定伤害
			龙王波	特殊攻击	100	15	60	必定命中对方
			龙之意志	属性攻击	–	10	70	使自身所有能力提升1个等级
			龙王灭碎阵	物理攻击	150	5	80	5%的几率使对方疲惫

很久以前的艾迪星，夜晚没有月光。

这是一颗平凡的星球，这里的植物泛着枯黄的色泽，这里的精灵显得毫无生气，这里的一切都是那么的平凡，平凡到连月亮也忘记了有这么一颗星球存在。

直到某一天，奈尼芬多来到了艾迪星，它曼妙的歌声让远处的月亮沉醉，月光终于眷顾到了这颗星球。从此，这里的植物生机勃勃，这里的精灵也恋上了音乐……

1. BOSS信息

名称	奈尼芬多		
所在场景	艾迪星第一层		
属性	超能	等级	70
体力	12000		
特性	1.免疫异常状态的招术。2.免疫能使自身能力下降的招术。3.药品反噬，可使加血药物的效果逆反，变为减血。4.技能先手必中。		
获得奖励	奈尼芬多的精元		

2. 挑战方法

赛尔来到艾迪星，点击画面右侧的发光的石碑。接着按照画面中图案出现的顺序，点击藤条上垂挂的相应的饰物。只要顺序正确（瓶子、太阳、蝴蝶结、风车、三角、月亮、星星），奈尼芬多就会出现在喷泉上方。点击即可进入战斗。

3. 攻关建议

推荐精灵 光系或者暗影系精灵，100级。

推荐战法 奈尼芬多血多，速度快，对异常状态类的招数免疫。最好的办法仍然是先耗光其PP值，然后再展开攻击。光系和暗影系精灵对它效果明显。由于BOSS的药品反噬技能，所以千万不要给自己用加血药，否则只能适得其反（活力药可以使用，无副作用）。

注 得到精元后，放入分子转化仪，24小时后即可得到奈姬。奈姬20级进化为奈诺伊，40级进化为奈尼芬多。

Name	属性	进化等级	招式	攻击类型	威力	使用次数	学习等级	特殊效果
奈姬（ID/262）	超能	20	撞击	物理攻击	35	35	1	–
			摆尾	属性攻击	–	40	7	自身速度+1
			念力射线	特殊攻击	50	35	13	–
			前奏	属性攻击	–	15	19	命中后50%令对方睡眠
奈诺伊（ID/263）	超能	40	冲锋	物理攻击	50	30	24	–
			残念	特殊攻击	60	35	29	–
			自勉	物理攻击	–	10	34	100%改变自身特攻等级2
			意念干扰	特殊攻击	70	10	39	20%几率降低对方所有技能1点PP值
奈尼芬多（ID/264）	超能	–	预感	特殊攻击	–	30	41	100%改变自身特防等级2
			跳跃践踏	物理攻击	80	15	45	15%改变对方速度等级-1
			寰宇劲乐	特殊攻击	95	15	49	使用后5回合攻击击中对象要害概率增加1/16
			药剂反噬	属性攻击	–	5	53	接下来五回合使用体力药剂变成降低相应的体力
			临危一击	物理攻击	90	20	57	10%的几率使对方烧伤
			幻想迷乐	特殊攻击	120	10	61	15%改变对方命中等级-1
			五彩音域	属性攻击	–	5	65	3回合自己受到特殊攻击伤害减半
			痛苦尖叫	物理攻击	80	5	69	–
			塞壬极乐	特殊攻击	145	5	73	15%令对方睡眠

暗黑之门制胜篇

暗黑第Ⅰ门

魔牙鲨

等级	50级	属性	水
体力	330		
特性	1.受到伤害减免30%。		

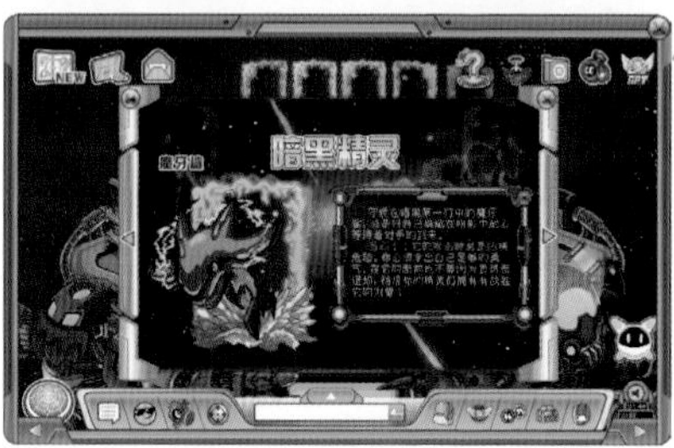

攻略

推荐精灵： 波克尔、巴鲁斯，60级以上。

战法： 波克尔用同生共死，然后派上巴鲁斯，多用高压水枪，很快即可击败魔牙鲨。

奖励

门的编号	条件	物品名	概率	数量	限制
Ⅰ	第一次战胜魔牙鲨	魔牙鲨的精元	100%	1	超能1级
Ⅰ	再次战胜魔牙鲨	反物质能量	10%	1	超能1级

Name	属性	进化等级	招式	攻击类型	威力	使用次数	学习等级	特殊效果
利齿鱼（ID/170）	水	40	齿突	物理攻击	60	25	1	5%的几率使对方害怕
			瞪眼	属性攻击	–	30	5	使对方防御降低1个等级
			蓄气	属性攻击	–	30	9	5回合内，提高自身打出致命一击的几率
			愤怒	物理攻击	40	20	13	连续使用每次威力增加20，最高增加威力80
			鬼脸	属性攻击	–	15	17	使对方速度降低2个等级
			水流喷射	特殊攻击	40	20	21	优先出招
			冰之牙	物理攻击	65	15	25	5%的几率使对方害怕
			噪音	属性攻击	–	30	29	使对方防御降低2个等级
			潮水	特殊攻击	60	35	33	–
			虚张声势	属性攻击	–	15	37	使自身防御提升2个等级
魔牙鲨（ID/171）	水	–	猛击	物理攻击	60	30	41	–
			咬碎	物理攻击	100	15	44	15%的几率降低对方防御2个等级
			突进	物理攻击	90	20	47	对方所受伤害的1/4会反弹到自己
			凶暴	属性攻击	–	20	50	使自身特攻提升2个等级，但防御降低1个等级
			巨浪	特殊攻击	60	25	53	自身体力少于一半时威力加倍
			贯穿水枪	特殊攻击	70	25	55	先出手时威力为2倍
			切裂	物理攻击	70	20	57	容易打出致命一击
			佯攻	物理攻击	60	10	59	更加优先出招
			威慑	属性攻击	–	20	61	使对方攻击降低1个等级
			渗透水线	特殊攻击	80	20	63	必定命中对方
			火箭头槌	物理攻击	100	15	65	技能使用成功后，使自身疲惫1回合
			高速移动	属性攻击	–	20	67	使自身速度提升2个等级
			钢牙击	物理攻击	100	15	69	容易打出致命一击
			激流波动	特殊攻击	120	10	71	10%的几率使对方冻伤

暗黑第Ⅱ门

贝鲁基德

等级	60级	属性	火
体力	500		
特性	1.受到伤害减免50%; 2.受到物理攻击时有50%几率使对方烧伤。		

攻略

推荐精灵：布布花或者丽莎布布、巴鲁斯或者鲁斯王，60级以上。

战法：布布花或者丽莎布布一直使用寄生种子，巴鲁斯或者鲁斯王坚持使用克制，很快即可击败贝鲁基德。

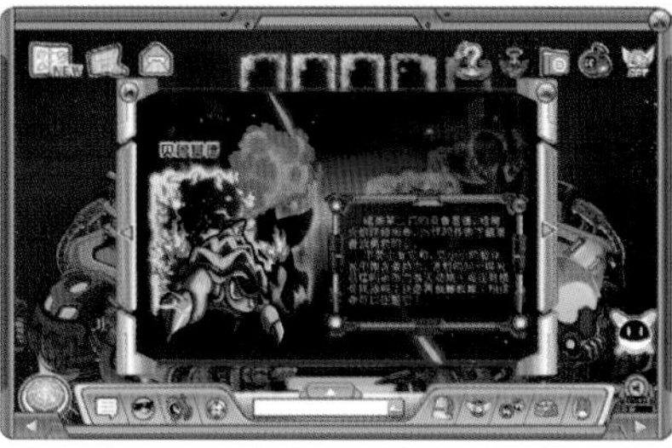

奖励

门的编号	条件	物品名	概率	数量	限制
Ⅱ	第一次战胜贝鲁基德	贝鲁基德的精元	100%	1	超能2级
Ⅱ	再次战胜贝鲁基德	反物质能量	20%	1	超能2级

Name	属性	进化等级	招式	攻击类型	威力	使用次数	学习等级	特殊效果
黑火贝（ID/172）	火	19	冲顶	物理攻击	40	35	1	–
			坚硬	属性攻击	–	40	5	使自身防御提升1个等级
			火球	特殊攻击	40	30	10	–
			加温	属性攻击	–	40	14	使自身特攻提升1个等级
			吐火	特殊攻击	60	35	18	–
贝米拉（ID/173）	火	39	旋转冲顶	物理攻击	60	25	20	–
			烟幕	属性攻击	–	20	25	使对方命中降低1个等级
			致命撞击	物理攻击	60	20	28	容易打出致命一击
			双管火焰	特殊攻击	75	20	31	–
			熔化	属性攻击	–	30	34	使对方防御和特防降低1个等级
			火焰碰撞	物理攻击	70	20	38	10%的几率使对方烧伤
贝鲁基德（ID/174）	火	–	火焰贝壳	物理攻击	85	25	41	10%的几率使对方烧伤
			炙热火焰	特殊攻击	90	20	44	10%的几率使对方烧伤
			乾坤一击	物理攻击	100	10	47	–
			冒火	属性攻击	–	30	50	使自身攻击和特防提升1个等级
			爆炎烈击	物理攻击	120	10	53	10%的几率使对方烧伤
			熔岩爆发	特殊攻击	120	10	56	10%的几率使对方烧伤
			威慑	属性攻击	–	20	59	使对方攻击降低1个等级
			火射八方	特殊攻击	150	5	62	技能使用成功后，使自身疲惫1回合
			灼热痛击	物理攻击	130	5	66	10%的几率使对方烧伤

暗黑第Ⅲ-Ⅰ门

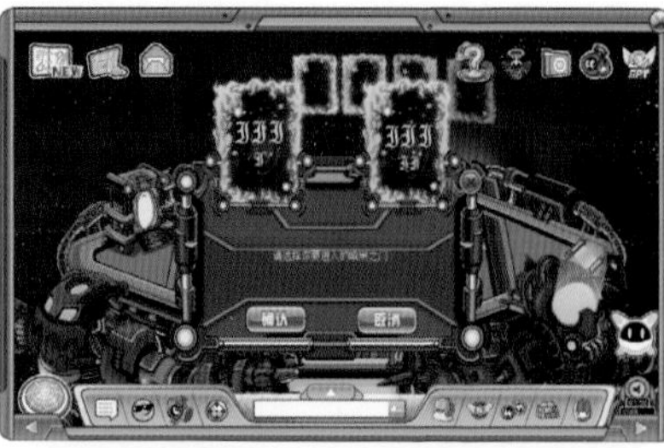

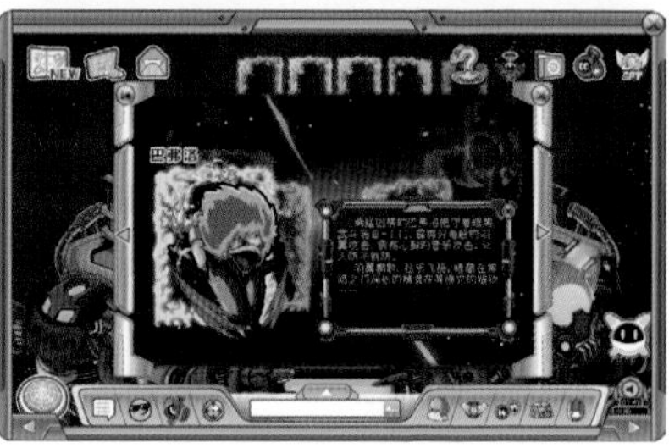

巴弗洛

等级	70级	属性	飞行
体力	700		
特性	1.受到伤害减免50%； 2.所有技能必定先手。		

攻略

推荐精灵：巴鲁斯或者鲁斯王，80级以上。雷伊，80级以上。

战法：巴鲁斯或者鲁斯王坚持使用克制，很快即可击败巴弗洛。电系精灵的战斗相对会比较轻松，训练得较为出色的雷伊可以很快取胜。

奖励

门的编号	条件	物品名	概率	数量	限制
Ⅲ-Ⅰ	第一次战胜巴弗洛	巴弗洛的精元	100%	1	超能3级
Ⅲ-Ⅰ	再次战胜巴弗洛	反物质能量	25%	1	超能3级

Name	属性	进化等级	招式	攻击类型	威力	使用次数	学习等级	特殊效果
希洛（ID/175）	飞	19	撞击	物理攻击	35	35	1	–
			扔沙	属性攻击	–	15	3	使对方命中降低1个等级
			电光火石	物理攻击	40	30	6	优先出招
			旋风	特殊攻击	40	35	10	–
			吹飞	属性攻击	–	20	14	使对方速度降低1个等级
			袭击	物理攻击	60	30	18	先出手时威力为2倍
卡弗（ID/176）	飞	39	风之舞	属性攻击	–	15	23	使对方攻击降低1个等级
			龙卷风	特殊攻击	70	20	28	5%的几率使对方害怕
			风翼连打	物理攻击	30	25	33	连续攻击对方2~3次
			高速移动	属性攻击	–	20	38	使自身速度提升2个等级
巴弗洛（ID/177）	飞	–	飞翼拍击	物理攻击	60	35	42	–
			栖息	属性攻击	–	10	44	恢复自身一半的体力
			顺风	属性攻击	–	30	48	使自身速度提升1个等级
			空气切裂	特殊攻击	75	20	52	额外增加60点固定伤害
			模仿术	属性攻击	–	20	56	5回合内，使自身的防御力和对手相同
			风压极闪	物理攻击	115	15	60	15%的几率降低对方防御1个等级
			弦乐夜曲	属性攻击	–	20	64	使自身攻击提升2个等级
			镇魂歌	属性攻击	–	5	70	3回合后若对方没有将自己击败，则对方失去战斗能力

暗黑第Ⅲ-Ⅱ门

奇拉塔顿

等级	75级	属性	地面
体力	750		
特性	1.免疫能力下降； 2.自身所有技能必中。		

攻略

推荐精灵：波克尔或者闪光波克尔。

战法：最简单的方法就是：用1只1滴血的波克尔或闪光波克尔，使用“同生共死”加“电光火石”，很快便可将奇拉塔顿击败。

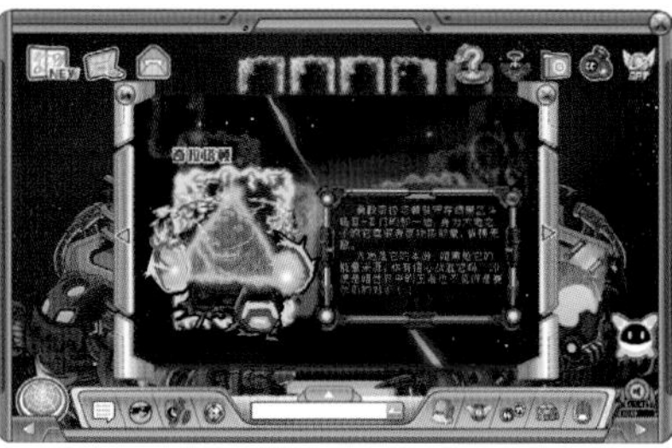

奖励

门的编号	条件	物品名	概率	数量	限制
Ⅲ-Ⅱ	第一次战胜奇拉塔顿	奇拉塔顿的精元	100%	1	超能3级
Ⅲ-Ⅱ	再次战胜奇拉塔顿	反物质能量	25%	1	超能3级

Name	属性	进化等级	招式	攻击类型	威力	使用次数	学习等级	特殊效果
洛奇（ID/181）	地	18	叩击	物理攻击	40	40	1	–
			瞪眼	属性攻击	–	30	5	使对方防御降低1个等级
			地刺	特殊攻击	50	40	9	–
			冲撞	物理攻击	45	30	13	后出手时威力为2倍
			灰尘	属性攻击	–	30	17	使对方特攻降低1个等级
拉杰特（ID/182）	地	38	冲锋	物理攻击	50	30	21	优先出招
			大地之墙	属性攻击	–	20	25	使自身防御提升2个等级
			地面突起	特殊攻击	75	30	29	15%的几率降低对方速度1个等级
			大地之拳	物理攻击	65	25	33	容易打出致命一击
			威慑	属性攻击	–	20	37	使对方攻击降低1个等级
奇拉塔顿（ID/183）	地	–	碎裂撞击	物理攻击	80	25	40	15%的几率降低对方防御1个等级
			大地之盾	属性攻击	–	20	43	使自身特防提升2个等级
			超重拳	物理攻击	120	10	46	技能使用成功后，使自身疲惫1回合
			雷霆地震	特殊攻击	95	15	49	15%的几率降低对方特防1个等级
			硬化冲击	物理攻击	90	20	52	20%的几率提升自身防御1个等级
			震耳欲聋	属性攻击	–	20	55	使对方特防降低2个等级
			冲烈破	物理攻击	60	10	58	连续攻击对方2~3次
			反击风暴	属性攻击	–	10	61	4~5回合，每回合反弹对手1/4的伤害
			震天动地	特殊攻击	120	10	65	–

暗黑第Ⅳ-Ⅰ门

西萨拉斯

等级	80级	属性	电
体力	800		
特性	1. 受到伤害减免40%； 2. 受到物理攻击伤害时有100%几率使对方麻痹； 3. 自身会心一击率为1/4。		

攻略

推荐精灵：地面系精灵，80级以上。
战法：派出自己队伍中比较出色的地面系精灵，这样BOSS西萨拉斯的特殊攻击基本不起作用。坚持一段时间，很快便可将西萨拉斯击败。

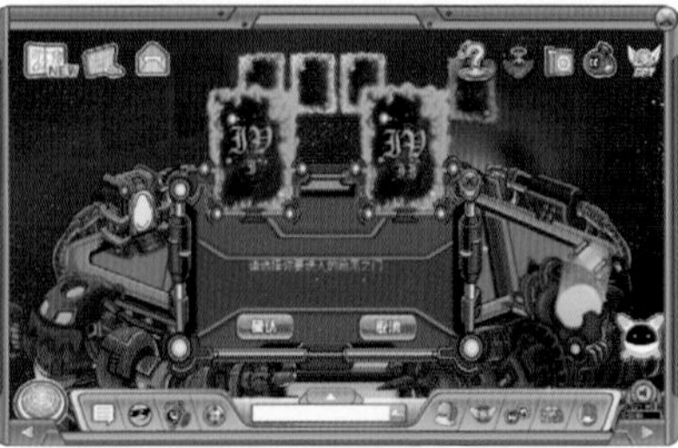

奖励

门的编号	条件	物品名	概率	数量	限制
Ⅳ-Ⅰ	第一次战胜西萨拉斯	西萨拉斯的精元	100%	1	超能4级
Ⅳ-Ⅰ	再次战胜西萨拉斯	反物质能量	30%	1	超能4级

Name	属性	进化等级	招式	攻击类型	威力	使用次数	学习等级	特殊效果
奇达（ID/193）	电	22	撞击	物理攻击	35	35	1	–
			电磁波	属性攻击	–	20	5	命中时使对方麻痹
			电气震	特殊攻击	40	30	10	5%的几率使对方麻痹
			雷刀	物理攻击	60	30	15	5%的几率使对方麻痹
			阴谋	属性攻击	–	20	20	使对方特攻降低2个等级
罗卡尔（ID/194）	电	39	电光火石	物理攻击	40	30	23	优先出招
			佯攻	物理攻击	60	10	26	更加优先出招
			电光弹	特殊攻击	60	30	29	–
			铁头功	物理攻击	80	20	32	–
			高速移动	属性攻击	–	20	34	使自身速度提升2个等级
			电光射线	特殊攻击	75	25	36	5%的几率使对方麻痹
			硬体攻击	物理攻击	90	20	38	20%的几率提升自身攻击1个等级
西萨拉斯（ID/195）	电	–	电磁炮	特殊攻击	85	20	40	–
			光之壁	属性攻击	–	20	43	5回合内，使自身受到特殊攻击伤害减半
			电光轮	特殊攻击	60	30	46	优先出招
			电流撞击	物理攻击	70	30	49	–
			雷霆万钧	特殊攻击	95	15	52	5%的几率使对方麻痹
			雷光击	物理攻击	90	10	55	–
			充电	属性攻击	–	20	58	下回合电系技能威力为2倍
			雷神	特殊攻击	120	10	61	5%的几率使对方麻痹
			舞动	属性攻击	–	30	64	使自身攻击和特攻提升1个等级
			雷霆霹雳	物理攻击	130	10	68	5%的几率使对方麻痹

暗黑第Ⅳ-Ⅱ门

克林卡修

等级	85级	属性	冰
体力	850		
特性	1.免疫异常状态； 2.受到伤害减免30%； 3.受到特殊攻击时会使自身攻击提升1个等级，可提升6次。		

攻略

推荐精灵：火系精灵，90级以上。

战法：派出火系精灵，可使用魔焰猩猩的火炎旋涡，坚持一段时间便可将克林卡修击败。此外，鲁斯王或者巴鲁斯的克制对克林卡修也很有效，反复“克制”就可将其击败。

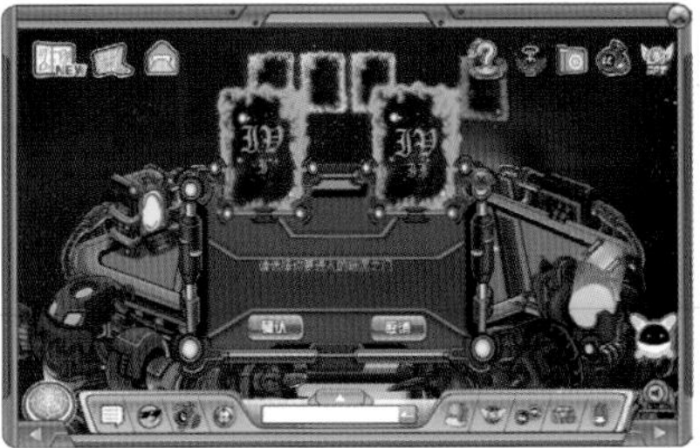

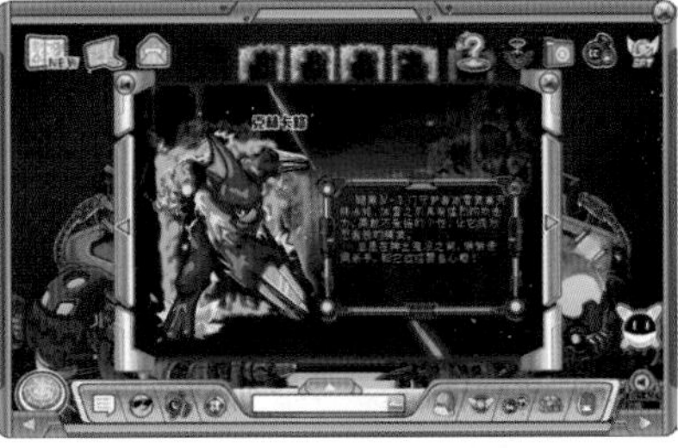

奖励

门的编号	条件	物品名	概率	数量	限制
Ⅳ-Ⅱ	第一次战胜克林卡修	克林卡修的精元	100%	1	超能4级
Ⅳ-Ⅱ	再次战胜克林卡修	反物质能量	30%	1	超能4级

Name	属性	进化等级	招式	攻击类型	威力	使用次数	学习等级	特殊效果
林奇（ID/190）	冰	20	抓	物理攻击	40	35	1	–
			冷气泡	特殊攻击	30	40	5	10%的几率使对方冻伤
			冰霜	属性攻击	–	40	10	使对方防御降低1个等级
			寒冰冻气	特殊攻击	55	30	15	10%的几率使对方冻伤
			裂冰刺	物理攻击	60	30	19	10%的几率使对方冻伤
林修斯（ID/191）	冰	40	疯狂乱抓	物理攻击	25	15	23	连续攻击对方2~5次
			冰之爪	物理攻击	65	35	27	10%的几率使对方冻伤
			宝石能量	属性攻击	–	20	30	使自身防御和特防提升1个等级
			冰凌之光	特殊攻击	60	30	33	清除对方能力提升的效果
			一闪	物理攻击	60	20	36	优先出招
			裂冰连击	物理攻击	25	35	39	连续攻击对方2~4次
克林卡修（ID/192）	冰	–	冰镜反射	属性攻击	–	20	43	2~3回合内，每回合将受到伤害的1/3反弹给对方
			宝石光线	特殊攻击	70	25	46	–
			裂空刃	物理攻击	75	25	49	对方体力少于一半时威力加倍
			冷冻气	属性攻击	–	40	52	使对方特防降低1个等级
			凝结之气	特殊攻击	80	20	55	10%的几率使对方冻伤
			宝石原力	属性攻击	–	10	58	使自身攻击和特攻提升1个等级
			月光闪	物理攻击	90	15	61	容易打出致命一击
			聚能光炮	特殊攻击	120	10	64	–
			宝石潜能	属性攻击	–	20	67	使自身攻击提升2个等级

暗黑第V-Ⅰ门

卡库

等级	90级	属性	战斗
体力	900		
特性	1.受到伤害减免40%； 2.受到特殊攻击时会使自身特攻提升1个等级，可提升6次； 3.自身会心一击率为1/4。		

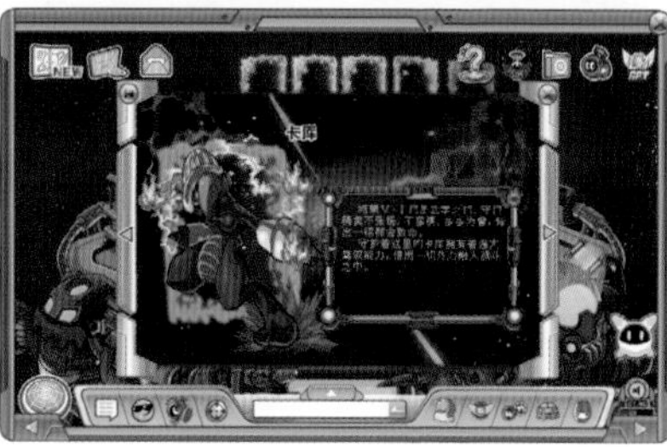

攻略

推荐精灵：超能系，100级。

战法：使用超能系精灵战斗会相对简单，推荐艾斯菲亚或者闪光艾斯菲亚，宇宙幻影是相当有效的招数。

奖励

门的编号	条件	物品名	概率	数量	限制
V-Ⅰ	第一次战胜卡库	卡库的精元	100%	1	超能5级
V-Ⅰ	再次战胜卡库	反物质能量	10%	2	超能5级

Name	属性	进化等级	招式	攻击类型	威力	使用次数	学习等级	特殊效果
卡博（ID/221）	战斗	31	搏斗	物理攻击	40	40	1	–
			气力	属性攻击	–	40	5	使自身攻击提升1个等级
			元气波	特殊攻击	45	40	9	–
			乱突	物理攻击	15	20	12	连续攻击对方2~5次
			蓄气	属性攻击	–	30	15	5回合内，提高自身打出致命一击的几率
			隔空掌	特殊攻击	60	35	18	优先出招
			左右互搏	物理攻击	55	35	21	15%的几率降低对方防御1个等级
			集合	属性攻击	–	40	24	使自身特攻提升1个等级
			拳风	特殊攻击	70	25	27	先出手时威力为2倍
			猛攻	物理攻击	80	20	30	–
卡库（ID/222）	战斗	–	拳气	特殊攻击	80	25	33	必定命中对方
			斗志	属性攻击	–	30	36	使自身命中和速度提升1个等级
			气绝掌	物理攻击	75	30	39	10%的几率使对方疲惫
			气功波	特殊攻击	90	15	42	15%的几率降低对方特防1个等级
			坚韧	属性攻击	–	20	45	使自身防御和特防提升1个等级
			绝一闪	物理攻击	75	20	48	先出手时威力为2倍
			冲击波	特殊攻击	90	15	51	连续使用每次威力增加20，最高增加威力130
			斗气	属性攻击	–	20	54	使自身攻击提升2个等级
			破釜沉舟	物理攻击	135	5	57	100%的几率降低自身防御1个等级
			爆裂气	特殊攻击	100	10	60	20%的几率提升自身特攻1个等级
			斗魂	属性攻击	–	20	63	使自身特攻提升2个等级
			狂暴斗气	特殊攻击	140	5	67	15%的几率降低对方特防1个等级

暗黑第V－Ⅱ门

赫德卡

等级	95级	属性	机械
体力	950		
特性	1.受到伤害减免40%； 2.任何技能对自身的命中率下降25%； 3.自身所有技能必中。		

攻略

推荐精灵：推荐火系、战斗系、地面系的精灵，100级。

战法：效果最好的首推火系，可以使用魔焰猩猩、洛吉拉斯或者里奥斯，很快可以击败赫德卡。

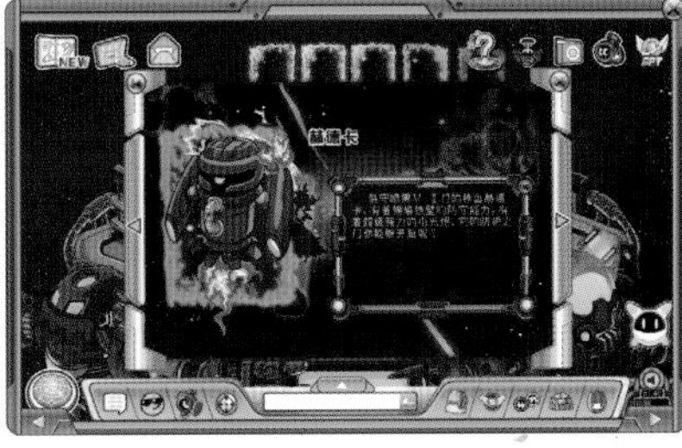

奖励

门的编号	条件	物品名	概率	数量	限制
V－Ⅱ	第一次战胜赫德卡	赫德卡的精元	100%	1	超能5级
V－Ⅱ	再次战胜赫德卡	反物质能量	10%	2	超能5级

Name	属性	进化等级	招式	攻击类型	威力	使用次数	学习等级	特殊效果
德塔（ID/223）	机械	31	撞击	物理攻击	35	35	1	－
			铁臂	属性攻击	－	20	5	使自身防御和特防提升1个等级
			激光	特殊攻击	65	35	9	－
			重击	物理攻击	50	35	12	－
			金属声波	属性攻击	－	40	15	使对方防御降低1个等级
			电光射线	特殊攻击	75	25	18	5%的几率使对方麻痹
			钢铁冲击	物理攻击	80	20	21	－
			信号波	属性攻击	－	30	24	使自身命中提升1个等级
			钢壳炸弹	特殊攻击	60	35	27	额外增加30点固定伤害
			火焰击打	物理攻击	80	15	30	－
赫德卡（ID/224）	机械	－	牵引光束	属性攻击	－	30	33	使对方速度降低2个等级
			炸裂飞弹	特殊攻击	75	30	36	15%的几率降低对方特防1个等级
			旋转铁拳	物理攻击	90	20	39	必定命中对方
			紧急防御	属性攻击	－	30	42	可以完全抵挡1次攻击
			螺旋光线	特殊攻击	90	20	45	－
			岩铁碎	物理攻击	100	20	48	15%的几率降低对方防御1个等级
			念力射线	特殊攻击	50	35	51	－
			充能光炮	特殊攻击	120	15	54	20%的几率提升自身特攻1个等级
			铜墙铁壁	属性攻击	－	20	57	使自身防御和特防提升2个等级
			千斤重锤	物理攻击	120	15	60	15%的几率降低对方防御1个等级
			固若金汤	属性攻击	－	10	63	抵挡150点伤害
			追尾激光	特殊攻击	130	5	67	必定命中对方

暗黑第V－Ⅲ门

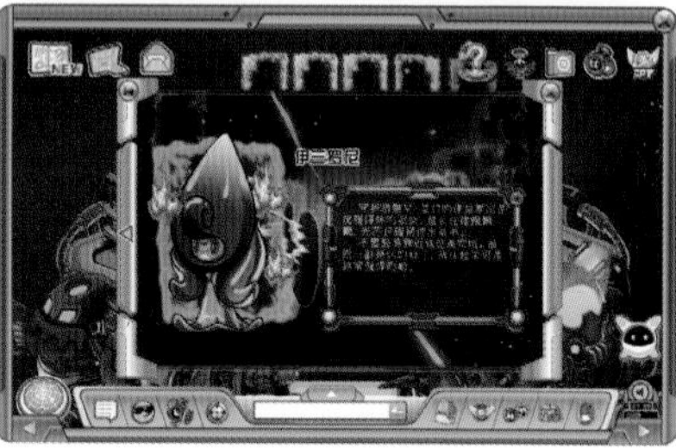

伊兰罗尼

等级	100级	属性	普通
体力	1000		
特性	1.自身PP值无限；2.受到伤害减免40%；3.自身体力与特定属性对应，当体力每减少1/8，则特攻上升1个等级，最高6次。		

攻略

推荐精灵：机械系精灵，100级。
战法：如没有100级机械系精灵，推荐使用波克尔，同生共死是有效招术。或用雷伊将其麻痹，然后使用丽莎布布的寄生种子，以此消耗其体力，最后击杀之。

奖励

门的编号	条件	物品名	概率	数量	限制
V－Ⅲ	第一次战胜伊兰罗尼	伊兰罗尼的精元	100%	1	超能5级
V－Ⅲ	再次战胜伊兰罗尼	反物质能量	10%	2	超能5级

Name	属性	进化等级	招式	攻击类型	威力	使用次数	学习等级	特殊效果
罗尼（ID/225）	普通	19	撞击	物理攻击	35	35	1	－
			扔泥	特殊攻击	40	40	5	15%的几率降低对方命中1个等级
			急转	属性攻击	－	25	10	使对方的技能无法命中自己
			旋转冲顶	物理攻击	60	25	14	－
			大型泥块	物理攻击	50	35	18	对方体力少于一半时威力加倍
吉鲁尼（ID/226）	普通	39	强击	物理攻击	80	30	22	－
			折磨	属性攻击	－	25	26	使对方防御降低1个等级
			灰色射线	特殊攻击	55	35	30	－
			飞旋击	物理攻击	70	25	34	优先出招
			转圈	属性攻击	－	30	38	使自身特攻提高1个等级
伊兰罗尼（ID/227）	普通	－	暮光波	特殊攻击	70	30	40	清除对方能力提升的效果
			聚合	属性攻击	－	25	43	使自身的攻击和特攻提升1个等级
			回击	物理攻击	－	30	45	后出招
			波动气	特殊攻击	80	25	48	必定命中对方
			扰乱	属性攻击	－	20	50	使对方命中降低1个等级
			空旋斩	物理攻击	100	15	53	容易打出致命一击
			气压波	特殊攻击	70	15	55	自身体力少于一半时威力加倍
			灵光	属性攻击	－	20	58	使自身命中提升2个等级
			翔星刃	物理攻击	125	10	60	－
			星空闪光	特殊攻击	100	10	63	－
			纯净能量	属性攻击	－	10	66	使自身特攻提升2个等级
			六芒星	特殊攻击	135	10	69	对方提升的能力越多，此技能的威力就越大

暗黑第VI-Ⅰ门

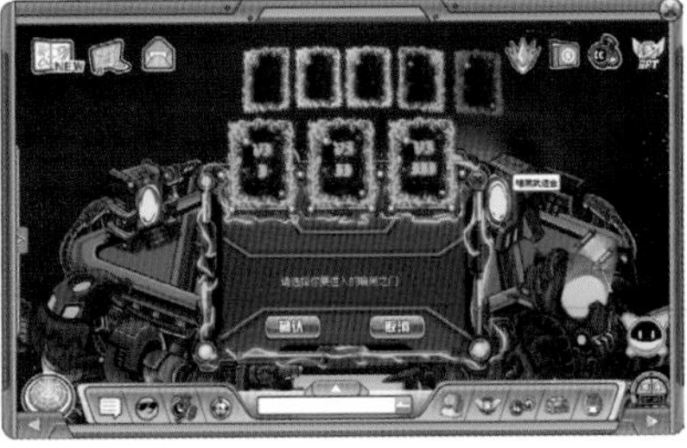

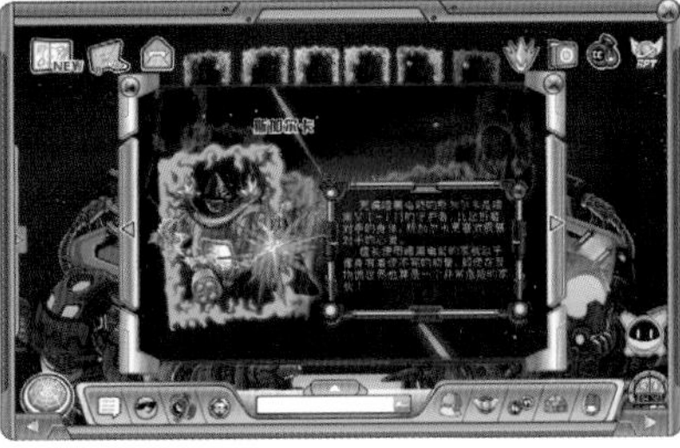

斯加尔卡

等级	100级	属性	电
体力	1000		
特性	1.任何伤害减免30%；2.受到物理攻击时会使对方100%麻痹；3.反弹1/4的伤害；4.免疫异常状态；5.增加50%伤害；6.PP值无限。		

攻略

推荐精灵：地系，100级。

战法：使用地系精灵是此门战斗的必须选择，埃闻、卡鲁克斯、卡斯达克、迅牙虎等都是不错的选择。如：卡鲁克斯上先“破攻”减对方攻击，然后“破甲”减对方防御，接下来“大地之力”加自身攻击，最后一招“爆裂极突刺”即可结束战斗。

奖励

门的编号	条件	物品名	概率	数量	限制
VI-Ⅰ	第一次战胜斯加尔卡	斯加尔卡的精元	100%	1	超能6级
–	–	–	–	–	–

Name	属性	进化等级	招式	攻击类型	威力	使用次数	学习等级	特殊效果
克鲁（ID/354）	电	20	撞击	物理攻击	35	35	1	–
			充电	属性攻击	–	20	6	下回合电系技能威力为2倍
			暗之雷	物理攻击	60	25	11	–
			雷电击	特殊攻击	40	40	16	–
加鲁卡（ID/355）	电	40	电磁波	属性攻击	–	20	20	命中后100%令对方麻痹
			迅雷击	物理攻击	65	35	24	–
			黑色闪电	特殊攻击	60	35	28	5%的几率令对方麻痹
			电网	属性攻击	–	30	32	命中后，100%改变自身特防等级+2
			迅雷阵	物理攻击	75	20	36	额外增加50点固定伤害
斯加尔卡（ID/356）	电	–	玄雷阵	特殊攻击	75	25	41	5%的几率令对方麻痹
			惊雷	属性攻击	–	20	44	技能使用成功时，100%改变对方特防等级—2级
			雷鸣闪	物理攻击	100	10	47	5%的几率令对方麻痹
			电闪光滑阵	属性攻击	–	1	50	自己牺牲（体力降到0）下一只出场精灵前两回合必定致命
			闪光雷电	特殊攻击	115	10	54	5%的几率令对方麻痹
			雷暴	属性攻击	–	20	58	技能使用成功时，100%改变自身攻击、特攻等级1
			虚体闪电	物理攻击	120	10	62	–
			超自然闪电	特殊攻击	130	5	66	命中后有10%的几率降低对方所有技能3点PP值
			乌云密布	属性攻击	–	10	70	命中后100%改变对方攻击、命中等级-1
			蓄能炸弹	物理攻击	150	5	74	对方所受伤害的1/4反弹给自己

暗黑第VI-II门

艾尔伊洛

等级	100级	属性	超能
体力	1500		
特性	1.对手命中率下降30%；2.受到特殊攻击时自身攻击提升1级，可提升6次；3.受到伤害减免40%；4.免疫能力下降；5.PP值无限。		

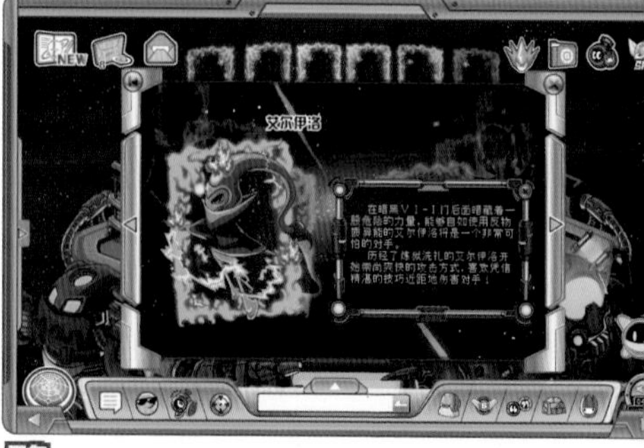

攻略

推荐精灵：推荐光系、暗系精灵，100级。

战法：效果最好的首推魔焰猩猩，“绝命火焰”有一定几率可以秒杀对手。对付艾尔伊洛，烧伤和冻伤都可以造成致命伤害。先上魔焰猩猩使用“火焰旋涡”，造成烧伤，再上鲁斯王使用“漩涡”，命中的话可以造成冻伤。当这两种状态同时存在时，上尤纳斯使用“暗黑之门”（光系也可以，因为这两系都克超能），再上攻击力强、速度快于艾尔伊洛的精灵，如雷伊的“瞬雷天闪”，盖亚的“石破天惊”、哈莫雷特的“龙王灭碎阵”等，就可战胜艾尔伊洛。

奖励

门的编号	条件	物品名	概率	数量	限制
VI-II	第一次战胜艾尔伊洛	艾尔伊洛的精元	100%	1	超能6级
–	–	–	–	–	–

Name	属性	进化等级	招式	攻击类型	威力	使用次数	学习等级	特殊效果
伊卢卡（ID/296）	超能	31	拍打	物理攻击	40	35	1	–
			感应	属性攻击	–	30	4	命中后使自身特防等级+2
			猛击	物理攻击	60	30	9	–
			念力波	特殊攻击	45	40	13	–
			精神控制	属性攻击	–	5	17	使对方的技能使用次数减少2点
			炎之花	物理攻击	80	25	21	10%的几率使对方烧伤
			四散光波	特殊攻击	60	25	25	–
			诡计	属性攻击	–	30	29	命中后100%使对方攻击-1、防御-1
艾尔伊洛（ID/297）	超能	–	迅捷奔袭	物理攻击	80	20	33	命中后100%使对方烧伤
			海之岚	特殊攻击	80	25	37	10%的几率使对方冻伤
			脑电波	属性攻击	–	30	41	命中后100%使对方命中-1
			幻化利刃	物理攻击	–	10	45	自身现有体力（包括体力腰带）的一半+个体值
			炼狱活力	属性攻击	–	20	49	命中后100%使自身特攻+1、速度+1
			极限光波	特殊攻击	100	15	53	15%的几率使对方特防等级-1
			超能力	属性攻击	–	20	57	2回合攻击伤害为正常情况的2倍
			真空刃	物理攻击	100	15	61	容易打出致命一击
			流星陨落	特殊攻击	130	10	65	–
			能量沉淀	属性攻击	–	15	69	命中后100%使自身攻击等级+2
			星体解离术	物理攻击	150	5	73	10%的几率使对方特防-2

暗黑第Ⅵ-Ⅲ门

布林克克

等　级	105级	属性	水
体　力	2000		
特　性	1.会心一击率为1/4；2.免疫异常状态；3.任何伤害减免40%；4.免疫能力下降；5.体力为200以下时恢复全部体力；6.PP值无限。		

↑暗黑第六门的BOSS实力已经接近谱尼的水平，所以赛尔们千万不可以掉以轻心。获得精元后培养而出的精灵将是未来赛尔们的好帮手。

攻略

推荐精灵：魔焰猩猩等达到100级，并且具备较强杀伤力的精灵。

战法：推荐使用魔焰猩猩的"绝命火焰"，有一定几率秒杀BOSS。其他打法相对难度较大，可以首先上鲁斯王使用"克制"，再来"湍流龙击打"，然后上其他速度快的精灵，每只能打180HP左右，最后上丽莎布布，"金光绿叶"可以消掉其400左右HP，只要以上过程没有出现MISS，就有取胜的希望。值得注意的是达到布林克克200HP以下会自动加满血，所以最后一击必须具备足够威力。

奖励

门的编号	条件	物品名	概率	数量	限制
Ⅵ-Ⅲ	第一次战胜布林克克	布林克克的精元	100%	1	超能6级
-	-	-	-	-	-

Name	属性	进化等级	招式	攻击类型	威力	使用次数	学习等级	特殊效果
布林（ID/357）	水	20	抓	物理攻击	40	35	1	-
			瞪眼	属性攻击	-	30	6	命中后100%的几率使对方防御-1
			水弹	物理攻击	60	30	11	-
			浊水泡	特殊攻击	50	30	16	-
布林多（ID/358）	水	40	呐喊	属性攻击	-	20	20	命中后100%的几率使自身特攻+2
			闪光一击	物理攻击	-	30	25	先手攻击
			贯穿水枪	特殊攻击	70	25	30	先出手时威力为2倍
			彷徨	属性攻击	70	20	35	命中后100%使对方攻击-2
布林克克（ID/359）	水	-	海浪咆哮	特殊攻击	-	20	41	10%的几率使对方冻伤
			吸水	属性攻击	90	20	44	命中后100%使自身特防+2
			剧蚀之触	物理攻击	-	10	47	10%使对方中毒
			洒水	属性攻击	100	40	50	命中后100%使对方特攻-1
			酸雨	特殊攻击	120	10	54	20%使对方特防-1
			诡异气味	属性攻击	-	15	58	命中后100%使自身攻击、防御+1
			激浪残卷	物理攻击	100	15	62	10%使对方冻伤
			邪光水泵	特殊攻击	150	5	66	10%使对方冻伤
			海妖之力	属性攻击	-	10	70	命中后100%使自身攻击+2
			混沌潮汐	物理攻击	150	10	74	20%使自身特攻+1
			海洋之心	属性攻击	-	20	78	降低对方1/4的体力

赛尔号 SEER

稀有精灵捕捉篇

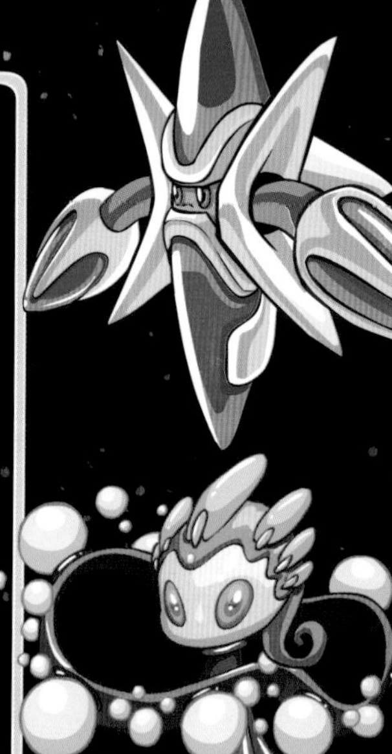

小豆芽

出现位置

捕捉方法 在克洛斯星沼泽里能抓到小豆芽，小豆芽一般出现在上面那个泥潭中央或下面那个泥潭左边靠下一点的地方，大约10-30分钟出现一次，要有耐心才行。用比波（或波克尔）的“手下留情”将小豆芽体力减至1，然后用精灵胶囊捕捉。

小豆芽

ID：027
属性：草
身高：49cm
体重：3.8kg
进化：21级

叮叮

ID：028
属性：草
身高：57cm
体重：9.9kg
进化：37级

魔花仙子

ID：029
属性：草
身高：82cm
体重：31.5kg
进化：——

技名	攻击类型	威力	使用次数	学习等级	特殊效果
针刺	特殊攻击	35	10	1	–
生长	属性攻击	–	40	5	使自身特攻提升1个等级
卷紧	物理攻击	15	20	9	命中时使对方中毒
催眠粉	属性攻击	–	15	13	命中时使对方睡眠
毒粉	属性攻击	–	35	16	命中时使对方中毒
麻痹粉	属性攻击	–	30	19	命中时使对方麻痹
溶解液	特殊攻击	40	30	23	15%的几率降低对方特攻1个等级
消化不良	物理攻击	20	20	26	清除对方能力提升的效果
香甜气息	属性攻击	–	20	28	使自身命中提升1个等级
胃液	属性攻击	–	10	30	解除自身所有的能力下降状态
疾风刃	物理攻击	55	25	32	更加容易打出致命一击
刀叶	物理攻击	70	20	34	–
榨取	特殊攻击	60	20	36	–
能量储存	属性攻击	–	10	39	使自身防御和特防提升1个等级
能量吸收	属性攻击	–	15	41	恢复自身1/4的体力
能量放出	特殊攻击	100	10	47	–
要害攻击	物理攻击	80	20	55	–
飞叶风暴	特殊攻击	140	5	63	技能使用成功后会降低自身特攻1个等级

莫比

捕捉方法 在云霄星地面层可以遇到莫比，它一般出现在云霄星的燃气池边倒数第二个台阶上，其次是左上角的位置，大约30分钟出现一次，要有耐心才能等出来。用比波（或波克尔）的“手下留情”将莫比体力减至1，然后用精灵胶囊捕捉。

莫比

ID：053
属性：地面
身高：48cm
体重：7.3kg
进化：17级

格格尔

ID：054
属性：地面
身高：62
体重：18.4
进化：37级

鲁加斯

ID：055
属性：地面
身高：109
体重：88.9kg
进化：——

技名	攻击类型	威力	使用次数	学习等级	特殊效果
冲顶	物理攻击	40	35	1	–
坚硬	属性攻击	–	40	5	使自身防御提升1个等级
震动打击	物理攻击	50	35	9	–
瞄准	属性攻击	–	40	12	使自身命中提升1个等级
地裂	特殊攻击	60	30	15	–
猛击	物理攻击	60	30	20	–
扔沙	属性攻击	–	15	23	使对方命中降低1个等级
尘土飞扬	特殊攻击	70	25	26	15%的几率降低对方攻击1个等级
碎裂撞击	物理攻击	80	25	30	15%的几率降低对方防御1个等级
大地之力	属性攻击	–	20	34	使自身攻击提升2个等级
地震	物理攻击	100	10	39	–
泥浆翻滚	特殊攻击	85	20	43	–
大地之墙	属性攻击	–	20	47	使自身防御提升2个等级
沙尘暴	特殊攻击	100	10	51	15%的几率降低对方攻击2个等级
爆裂拳	物理攻击	120	10	55	15%的几率降低对方防御2个等级

林克

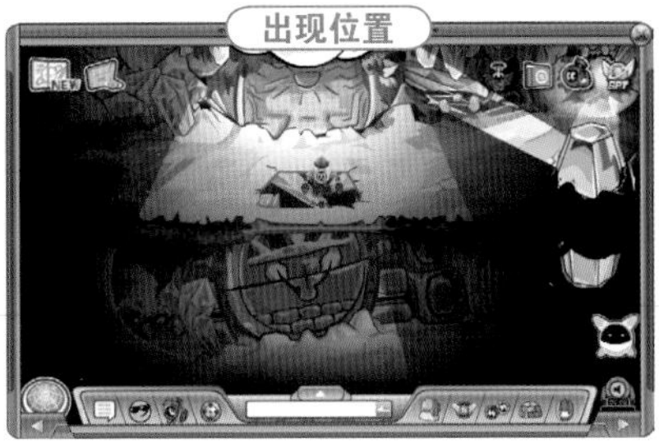

捕捉方法 进入赛西利亚星的寒冰溶洞，扭转灯光，耐心等候。林克一般在寒冰溶洞左上角（也就是那堆碎冰里面）出现，也可能会在下层徘徊。用比波（或波克尔）的“手下留情”将林克的体力减至1，然后用精灵胶囊捕捉。

林克

ID：065
属性：冰
身高：46cm
体重：6.7kg
进化：17级

林斯奇

ID：066
属性：冰
身高：72cm
体重：24.8kg
进化：36级

布林克斯

ID：067
属性：冰
身高：101cm
体重：39.6kg
进化：——

技名	攻击类型	威力	使用次数	学习等级	特殊效果
抓	物理攻击	40	35	1	–
冰霜	属性攻击	–	40	5	使对方防御降低1个等级
冷气泡	特殊攻击	30	40	10	10%的几率使对方冻伤
寒冰冻气	特殊攻击	55	30	15	10%的几率使对方冻伤
疯狂乱抓	物理攻击	25	15	19	连续攻击对方2~5次
冰之爪	物理攻击	65	35	23	10%的几率使对方冻伤
宝石能量	属性攻击	–	20	27	使自身防御和特防提升1个等级
冰凌之光	特殊攻击	60	30	31	清除对方能力提升的效果
裂冰连击	物理攻击	25	35	35	连续攻击对方2~4次
裂空刃	物理攻击	75	25	39	对方体力少于一半时威力加倍
冷冻气	属性攻击	–	40	43	使对方特防降低1个等级
宝石光线	特殊攻击	70	25	47	–
凝结之气	特殊攻击	80	20	51	10%的几率使对方冻伤
宝石原力	属性攻击	–	10	55	使自身攻击和特攻提升1个等级
月光闪	物理攻击	90	15	59	容易打出致命一击
聚能光炮	特殊攻击	120	10	64	–

尼尔

出现位置：帕诺星系任一区域

捕捉方法 尼尔喜欢变身成其他精灵，有玩家推荐去打利牙鱼，因为这样几率相对会高一些。进入战斗后，它就会现出原形，用比波（或波克尔）的“手下留情”将尼尔的体力减至1，然后用精灵胶囊捕捉。

尼尔

ID：077
属性：超能
身高：48cm
体重：5.3kg
进化：17级

菲斯利

ID：078
属性：超能
身高：69cm
体重：14.2kg
进化：37级

艾斯菲亚

ID：079
属性：超能
身高：90cm
体重：39.3kg
进化：——

技名	攻击类型	威力	使用次数	学习等级	特殊效果
速攻	物理攻击	45	35	1	优先出招
变化术	属性攻击	–	25	5	5回合内，使自身的攻击力和对方相同
空间跳跃	属性攻击	–	20	11	使对方的技能无法命中自己
念力射线	特殊攻击	50	35	16	–
迅猛击	物理攻击	60	30	20	–
奇幻光波	特殊攻击	70	30	25	15%的几率降低对方命中1个等级
感应	属性攻击	–	30	30	使自身特防提升2个等级
重力压制	特殊攻击	70	30	35	15%的几率降低对方速度1个等级
飞燕斩击	物理攻击	75	25	39	容易打出致命一击
精神控制	属性攻击	–	5	42	使对方的技能使用次数减少2点
意念干扰	特殊攻击	75	10	45	20%的几率降低对方技能使用次数1点
飞空冲撞	物理攻击	90	20	48	对方所受伤害的1/4会反弹到自己
灵光反冲	属性攻击	–	10	51	2~3回合内，每回合将受到伤害的1/3反弹给对方
闪光流星	特殊攻击	105	10	54	5%的几率使对方害怕
极速旋转	物理攻击	90	15	57	额外增加20点固定伤害
灵感	属性攻击		30	60	使对方特攻降低2个等级
宇宙幻影	特殊攻击	150	5	66	技能使用后会降低自身防御1个等级

达比拉

捕捉方法 在斯诺星，首先点击大树上类似蘑菇的蜗牛。接着，山洞出现。进入里面可以看到跑来跑去的达比拉，搬起边上的石头，然后堵住任意一个洞口。达比拉就会冲过去，接着就撞晕了。现在，你就可以上前与之战斗，并且捕捉了！

达比拉

ID：178
属性：地面
身高：53cm
体重：18.7kg
进化：18级

达拉克

ID：179
属性：地面
身高：61
体重：27.9
进化：38级

卡斯达克

ID：180
属性：地面
身高：75cm
体重：31.5kg
进化：——

技名	攻击类型	威力	使用次数	学习等级	特殊效果
叩击	物理攻击	40	40	1	–
挖洞	属性攻击	–	30	6	使自身防御提升2个等级
碎裂	特殊攻击	45	40	11	–
利爪	物理攻击	55	35	16	–
锯齿之爪	物理攻击	60	25	21	对方体力少于一半时威力加倍
气力	属性攻击	–	40	26	使自身攻击1个等级
土龙闪	特殊攻击	50	30	31	后出手时威力为2倍
三连爪	物理攻击	45	30	36	连续攻击对方2~3次
土盾	属性攻击	–	30	40	使自身特防提升2个等级
穿心刺	物理攻击	80	20	44	必定命中对方
飞土	属性攻击	–	20	48	使对方命中降低1个等级
土龙破	特殊攻击	70	25	52	先出手时威力为2倍
绝地突击	物理攻击	120	1	55	15%的几率降低对方防御1个等级
破甲	属性攻击	–	20	58	使对方防御降低2个等级
地裂光	物理攻击	90	15	61	15%的几率降低对方特防1个等级
大地之力	属性攻击	–	20	64	使自身攻击提升2个等级
极连突闪	物理攻击	150	5	68	20%的几率提升自身攻击1个等级

闪光皮皮

捕捉方法 在克洛斯星草原，也就是皮皮的所在地。耐心等候半小时左右，会发现身上有闪光的皮皮，一般会出现在上方的黄晶矿附近。点击进入战斗，用比波（或波克尔）的“手下留情”将其体力减至1，然后用精灵胶囊捕捉。

闪光皮皮

ID：164
属性：飞行
身高：36.7cm
体重：3.2kg
进化：20级

闪光比波

ID：165
属性：飞行
身高：52cm
体重：8.9kg
进化：40级

闪光波克尔

ID：166
属性：飞行
身高：96.3cm
体重：32.5kg
进化：——

技名	攻击类型	威力	使用次数	学习等级	特殊效果
撞击	物理攻击	35	35	1	–
鸣叫	属性攻击	–	40	5	使对方攻击降低1个等级
电光火石	物理攻击	40	30	9	优先出招
诱惑	属性攻击		20	13	使对方命中降低1个等级
飞翼拍击	物理攻击	60	35	16	–
魅惑	属性攻击		20	19	使对方命中降低2个等级
手下留情	物理攻击	40	40	22	伤害多于对方体力时，使对方余下1体力
同生共死	物理攻击	0	5	26	对方体力高于自己时可将对方体力减到和自己相同
吹飞	属性攻击		20	29	使对方速度降低1个等级
燕返	物理攻击	60	20	32	必定命中对方
峰回路转	物理攻击	0	30	35	威力随机50~150
突进	物理攻击	90	20	38	对方所受伤害的1/4会反弹到自己
全力一击	物理攻击	120	5	41	–
千里追击	物理攻击	80	20	45	必定命中对方
高速移动	属性攻击		20	50	使自身速度提升2个等级
猛禽	物理攻击	120	15	55	对方所受伤害的1/4会反弹到自己
红韵	属性攻击		20	60	使自身攻击和防御以及特防提升1个等级
挥翼飘舞	物理攻击	125	10	67	

小莹蜂

捕捉方法 先进入机械室，打开赛尔典藏，从“装备典藏”购买寒流枪。装备后前往云霄星二层，发现小莹蜂不停穿梭在空中。当其略作停顿时，用寒流激光射击它。这样再点击小莹蜂，就可以进入战斗并捕捉。注意其5回合后会逃走！

小莹蜂

ID：153
属性：飞行
身高：15.3cm
体重：3.1kg
进化：17级

迅黄蜂

ID：154
属性：飞行
身高：30.7cm
体重：7.9kg
进化：37级

灵翼蜂

ID：155
属性：飞行
身高：46.5cm
体重：11.2kg
进化：——

技名	攻击类型	威力	使用次数	学习等级	特殊效果
飞击	物理攻击	35	35	1	–
高速移动	属性攻击	–	20	5	使自身速度提升2个等级
旋风	特殊攻击	40	35	10	–
飞翼连击	物理攻击	35	35	15	连续攻击对方2~3次
吹飞	属性攻击	–	20	20	使对方速度降低1个等级
折翼	物理攻击	90	15	25	对方所受伤害的1/4会反弹到自己
翼片飞射	特殊攻击	60	35	30	–
舞动	属性攻击	–	30	35	使自身攻击和特攻提升1个等级
回风袭	特殊攻击	70	30	39	容易打出致命一击
飞翼撞击	物理攻击	80	25	43	–
毒粉	属性攻击	–	35	47	命中时使对方中毒
羽翼齐射	特殊攻击	80	15	51	必定命中对方
飞翼猛冲	物理攻击	90	15	54	15%的几率降低对方防御1个等级
翅膀包围	属性攻击	–	25	57	使自身防御和特防提升1个等级
剧毒针刺	特殊攻击	60	30	60	50%的几率使对方中毒
追击式	属性攻击	–	20	63	使自身特攻提升2个等级
龙卷狂风	特殊攻击	130	10	67	–

果冻鸭

出现位置

捕捉方法 将地上的4块晶片（最后一块需要调查几次那棵结晶树，就会掉落在地上）放到4个像感叹号的灯上，就能发亮，这时会有脚印出现，你就用电磁棒打他，就会出现果冻鸭。点击进入对战，即可捕捉它。不过捕捉它五回合它会逃跑，此外每人只能捕捉一只。

果冻鸭

ID：074
属性：水
身高：49cm
体重：9.2kg
进化：18级

波浪鸭

ID：075
属性：水
身高：67cm
体重：21.4kg
进化：35级

水晶鸭

ID：076
属性：水
身高：97cm
体重：46.1
进化：——

技名	攻击类型	威力	使用次数	学习等级	特殊效果
拍打	物理攻击	40	35	1	–
玩水	属性攻击	–	15	5	5回合内使自身受到的火系攻击伤害减半
透明术	属性攻击	–	20	10	5回合内，使自身受到的物理伤害减半
跳跳果冻	特殊攻击	45	40	15	–
追风拳	物理攻击	50	35	20	优先出招
水墙	属性攻击	–	25	24	使自身特防提升2个等级
水之波动	特殊攻击	60	20	28	–
水之刃	物理攻击	60	35	32	容易打出致命一击
海啸	特殊攻击	70	25	36	额外增加20点固定伤害
凝结之气	特殊攻击	80	20	40	10%的几率使对方冻伤
踏浪	属性攻击	–	25	42	使自身攻击和速度提升1个等级
连击破	物理攻击	75	30	46	15%的几率降低对方防御1个等级
龙卷水击	特殊攻击	90	20	50	降低对方的体力最大值10点
水神护体	属性攻击	–	15	53	抵挡60点伤害
疾空连斩	物理攻击	100	15	56	必定命中对方
翻江倒海	特殊攻击	115	10	59	10%的几率使对方冻伤
水晶烈冲	物理攻击	125	5	64	连续使用每次威力增加20，最高增加威力80

依依

捕捉方法 需要在头部装备火焰喷射器，然后来到克洛斯星林间，会发现有个小精灵在洞中钻来钻去。用火焰喷射器瞄准射击，将其定住后，就可以点击进入对战，进而捕捉它。依依是有可能在对战中逃跑的，所以捕捉的时候要小心。

依依

ID：083
属性：草
身高：50cm
体重：4.5kg
进化：17级

依丁丝

ID：084
属性：草
身高：55cm
体重：5.2kg
进化：35级

依卡莱恩

ID：085
属性：草
身高：81cm
体重：12.3kg
进化：——

技名	攻击类型	威力	使用次数	学习等级	特殊效果
尖顶	物理攻击	40	40	1	–
毒粉	属性攻击	–	35	5	命中时使对方中毒
白雾	属性攻击	–	30	11	5回合内，自身不受能力下降技能影响
飞叶	特殊攻击	35	40	16	–
突刺	物理攻击	55	35	21	优先出招
浓缩精华	属性攻击	–	30	25	使自身命中和速度提升1个等级
浓缩汁液	特殊攻击	60	20	29	清除对方能力提升的效果
刀叶	物理攻击	70	20	33	–
突进	物理攻击	90	30	37	对方所受伤害的1/4会反弹到自己
寄生种子	属性攻击	–	10	41	5回合，每回合吸取对方最大体力的1/8并补充到自己身上(对草系无效)
绿光波	特殊攻击	60	15	44	使对方下回合攻击伤害是正常状态下的一半
凝聚	属性攻击		20	47	使自身攻击提升2个等级
四方刀叶	特殊攻击	80	20	50	–
千叶斩	物理攻击	55	20	53	连续攻击对方2~3次
再生	属性攻击	–	20	56	恢复自身一半的体力
绿叶仙子	特殊攻击	115	10	59	–
风华乱舞	物理攻击	125	5	64	–

悠悠

捕捉方法 来到双子阿尔法星，地上有很多小水池。其中有4个小水池是可以点击的。点击这些小水池，悠悠就可能出现。推荐使用波克尔的“手下留情”将其体力减至1，然后用精灵胶囊捕捉。悠悠每人只能抓一只，抓过后就无法再抓了。

悠悠

ID：091
属性：普通
身高：17cm
体重：2.9kg
进化：——

蝠迪

ID：092
属性：飞行
身高：27cm
体重：3.5
进化：——

希拉

ID：093
属性：电
身高：32cm
体重：4.1kg
进化：——

柯蓝

ID：094
属性：冰
身高：25cm
体重：5kg
进化：——

名称	属性	技名	攻击类型	威力	使用次数	学习等级	特殊效果
悠悠	普通	撞击	物理攻击	35	35	1	-
		冲锋	物理攻击	50	30	6	优先出招
		瞪眼	属性攻击	–	30	11	使对方防御降低1个等级
		悠悠光线	特殊攻击	55	30	16	清除对方能力提升的效果
		连击	物理攻击	30	10	21	连续攻击对方2~3次
		气力	属性攻击	–	40	25	使自身攻击1个等级
		爱心	特殊攻击	70	30	30	5%的几率使对方睡眠
		鸣叫	属性攻击	–	40	36	使对方攻击降低1个等级
		点头	物理攻击	75	35	42	容易打出致命一击
		五芒星	特殊攻击	80	25	50	解除自身所有的能力下降状态
蝠迪	飞行	撞击	物理攻击	35	35	1	–
		冲锋	物理攻击	50	30	6	优先出招
		瞪眼	属性攻击	–	30	11	使对方防御降低1个等级
		悠悠光线	特殊攻击	55	30	16	清除对方能力提升的效果
		飓风	特殊攻击	55	30	24	5%的几率使对方害怕
		噪音	属性攻击	–	30	28	使对方防御降低2个等级
		风压	特殊攻击	65	35	32	15%的几率降低对方速度1个等级
		极速俯冲	物理攻击	70	30	37	优先出招
		超声波	属性攻击	–	30	40	使自身命中提升2个等级

蝠迪	飞行	回风袭	特殊攻击	70	30	44	容易打出致命一击
		风切术	特殊攻击	85	25	48	15%的几率降低对方防御1个等级
		疾风追击	物理攻击	70	25	51	先出手时威力为2倍
		干扰音波	属性攻击	–	10	55	使对方攻击和特攻以及命中降低1个等级
		螺旋烈风	特殊攻击	100	15	60	5%的几率使对方害怕
		天翔连闪	物理攻击	125	10	67	5%的几率使对方害怕
希拉	电	撞击	物理攻击	35	35	1	–
		冲锋	物理攻击	50	30	6	优先出招
		瞪眼	属性攻击	–	30	11	使对方防御降低1个等级
		悠悠光线	特殊攻击	55	30	16	清除对方能力提升的效果
		落雷	特殊攻击	40	40	24	–
		电击光束	特殊攻击	60	35	28	5%的几率使对方麻痹
		静电	属性攻击	–	30	32	命中时使对方麻痹
		交叉闪电	特殊攻击	60	35	37	–
		电极	属性攻击	30	30	40	使自身特攻提升2个等级，但防御降低1个等级
		穿击电流	特殊攻击	75	30	44	必定命中对方
		流星冲	物理攻击	70	25	48	连续使用每次威力增加20，最高增加威力80
		雷电射线	特殊攻击	90	20	51	5%的几率使对方麻痹
		电能聚合	属性攻击	15	15	55	下2回合电系技能威力为2倍
		雷霆闪	物理攻击	95	20	60	5%的几率使对方麻痹
		闪电风暴	特殊攻击	130	10	67	5%的几率使对方麻痹
柯蓝	冰	撞击	物理攻击	35	35	1	–
		冲锋	物理攻击	50	30	6	优先出招
		瞪眼	属性攻击	–	30	11	使对方防御降低1个等级
		悠悠光线	特殊攻击	55	30	16	清除对方能力提升的效果
		冷冻光线	特殊攻击	45	35	24	–
		冻结之风	特殊攻击	60	25	28	15%的几率降低对方速度1个等级
		冰凌镜	属性攻击	–	20	32	使自身特防提升2个等级
		冻气拳	物理攻击	65	40	37	–
		冰之球	特殊攻击	70	30	40	–
		冰晶寒甲	属性攻击	–	15	44	使自身防御和特防提升2个等级
		柔软拳	物理攻击	65	25	48	使对方下回合攻击伤害是正常状态下的一半
		暴风雪	特殊攻击	90	20	51	10%的几率使对方冻伤
		寒冰之力	属性攻击	–	20	55	使自身攻击提升2个等级
		天寒地冻	特殊攻击	100	15	60	10%的几率使对方冻伤
		极冰烈闪	物理攻击	120	10	67	10%的几率使对方冻伤

巴多

捕捉方法 位置是在火山星2层。现在出现几率非常小，需要玩家多去几次并耐心等待才可能遇到。当其出现后，玩家就可以点击进入对战，进而捕捉它。推荐使用波克尔的“手下留情”将巴多体力减至1，然后用精灵胶囊捕捉。

巴多

ID：133
属性：火
身高：8.3cm
体重：3.2kg
进化：19级

巴奈特

ID：134
属性：火
身高：8.5cm
体重：6.9kg
进化：37级

巴法尔

ID：135
属性：火
身高：27.5cm
体重：15.1kg
进化：——

技名	攻击类型	威力	使用次数	学习等级	特殊效果
重击	物理攻击	50	35	1	–
火球	特殊攻击	40	30	6	–
奋斗	属性攻击	40	40	11	使自身攻击1个等级
强攻	物理攻击	60	35	16	对方体力少于一半时威力加倍
火环	特殊攻击	55	35	21	–
折磨	属性攻击	–	25	26	使对方防御降低1个等级
火炎击	物理攻击	75	35	30	10%的几率使对方烧伤
炎爆	特殊攻击	75	30	34	10%的几率使对方烧伤
灼烧	属性攻击	–	25	39	命中时使对方烧伤
火焰雨	特殊攻击	85	20	43	–
走火	物理攻击	90	25	47	10%的几率使对方烧伤
防御强化	属性攻击	–	30	50	使自身防御提升2个等级
灼热熔岩	特殊攻击	95	15	53	10%的几率使对方烧伤
狂暴攻击	物理攻击	70	30	56	后出手时威力为2倍
燃烧烈焰	特殊攻击	105	10	59	10%的几率使对方烧伤
力量强化	属性攻击	–	20	62	使自身攻击提升2个等级
炽热之痛	物理攻击	125	10	67	额外增加20点固定伤害

吉宝

捕捉方法 来到卡兰星系的塔克星，进入光之迷城，吉宝会在此出现。出现几率比较高，但是捕捉相当困难。推荐使用波克尔的“手下留情”将其体力减至1，然后用精灵胶囊捕捉，如不想浪费时间和胶囊，索性就用超能胶能捕捉吧。

吉宝

ID：237
属性：光
身高：18.5cm
体重：10kg
进化：20级

吉娜

ID：238
属性：光
身高：30.5cm
体重：20kg
进化：40级

吉娜斯

ID：239
属性：光
身高：63.7cm
体重：41.5kg
进化：——

技名	攻击类型	威力	使用次数	学习等级	特殊效果
拍打	物理攻击	40	35	1	–
虹光射线	特殊攻击	40	30	6	–
霜甲	属性攻击	–	40	11	使自身特防提升1个等级
重击	物理攻击	50	35	16	–
光弹	特殊攻击	50	40	21	–
防护罩	属性攻击	–	10	26	可以完全抵挡1次攻击
幻影突袭	特殊攻击	60	30	31	更加优先出招
封印	属性攻击	–	10	36	使对方攻击和特攻降低1个等级
水之刃	物理攻击	60	35	41	容易打出致命一击
荧光	属性攻击	–	20	44	使对方命中降低1个等级
四散光波	特殊攻击	70	35	47	必定命中对方
强击	物理攻击	80	30	50	–
冰凌镜	属性攻击	–	20	53	使自身特防提升2个等级
水晶之柩	特殊攻击	100	5	56	此招成功击败对方可以恢复自身1/3的体力
辉煌	属性攻击	–	10	59	使对方命中和特防降低1个等级
圣洁寒冰	物理攻击	120	15	62	15%的几率降低对方速度1个等级
极光领域	特殊攻击	140	5	65	10%的几率降低对方特攻2个等级

斯内克

捕捉方法 来到卡兰星系的塔克星，进入暗之迷城，斯内克会在此出现。出现几率比较高，但是捕捉相当困难。推荐使用波克尔的“手下留情”将其体力减至1，然后用精灵胶囊捕捉，如不想浪费时间和胶囊，索性就用超能胶能捕捉吧。

斯内克

ID：240
属性：暗影
身高：20.7cm
体重：21kg
进化：20级

比格尔

ID：241
属性：暗影
身高：38.8cm
体重：36.1kg
进化：40级

海德拉

ID：242
属性：暗影
身高：103.2cm
体重：85.4kg
进化：——

技名	攻击类型	威力	使用次数	学习等级	特殊效果
撞击	物理攻击	35	35	1	–
互动	属性攻击	–	20	6	使自身速度提升1个等级
影球	特殊攻击	45	40	11	–
错咬	物理攻击	35	20	16	连续攻击对方2次
坚强	属性攻击	–	40	21	使自身特防提升1个等级
邪恶撕咬	特殊攻击	55	20	26	15%的几率降低对方攻击1个等级
暗流击	物理攻击	60	30	31	5%的几率使对方害怕
胃液	属性攻击	–	10	36	解除自身所有的能力下降状态
枷锁	特殊攻击	10	10	41	5回合内,每回合都能附加60点固定伤害
舌液	物理攻击	70	15	44	10%的几率降低对方防御2个等级
战栗	属性攻击	–	30	47	命中时使对方害怕
暗影爆炸	特殊攻击	80	30	50	15%的几率降低对方特防1个等级
怪异攻势	属性攻击	–	20	53	使自身攻击和特攻提升1个等级
疲之撕咬	特殊攻击	100	5	56	此招成功击败对方可以降低对方下只精灵1/3的体力
黑月极闪	物理攻击	110	10	59	15%的几率降低对方防御1个等级
无限再生	属性攻击	–	5	62	立即恢复自身1/5的体力，随后的每回合恢复1/10的体力，持续4回合
昏暗领域	特殊攻击	140	5	65	15%的几率降低对方攻击和特攻1个等级

闪光利利

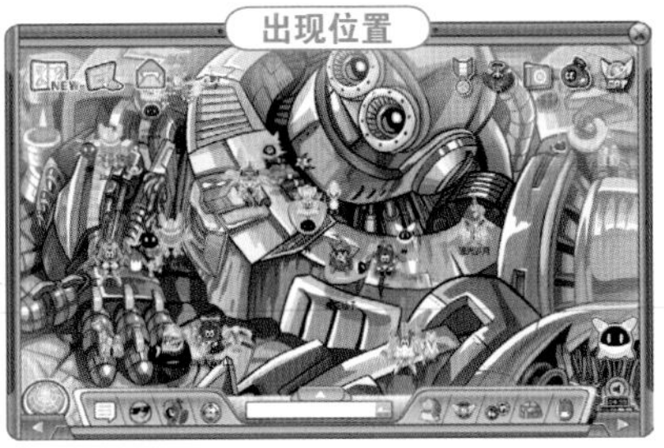

捕捉方法 在赫尔卡星第二层，耐心等候半小时左右，会发现身上有闪光的利利，一般会出现在上方位置。点击进入战斗，用比波（或波克尔）的“手下留情”将其体力减至1，闪光利利不会逃跑，普通胶囊就可以捕捉。

闪光利利

ID：284
属性：电
身高：46cm
体重：5.2kg
进化：21级

闪光绵绵

ID：285
属性：电
身高：66cm
体重：32kg
进化：41级

闪光电击兔

ID：286
属性：电
身高：113cm
体重：48.6kg
进化：——

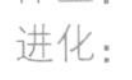

技名	攻击类型	威力	使用次数	学习等级	特殊效果
电气震	特殊攻击	30	30	1	命中后5%对方麻痹
电磁波	属性攻击	–	30	1	命中后100%令对方麻痹
撞击	物理攻击	35	35	1	–
光之壁	属性攻击	–	20	19	5回合受特殊攻击伤害减半
火焰拳	物理攻击	75	15	23	命中后10%令对方烧伤
放电	特殊攻击	70	15	27	命中后5%令对方麻痹
鸣叫	属性攻击	–	40	31	对方攻击–1
电光波	特殊攻击	75	15	35	命中后5%对方麻痹
能量冲击	特殊攻击	70	20	40	–
电光拳	物理攻击	75	20	45	–
鬼脸	属性攻击	–	15	48	对方速度–2
轰天雷	特殊攻击	120	10	51	命中后5%对方麻痹
闪光环	属性攻击	0	10	54	每回合反弹对手1/2 的伤害
电流摔拌	物理攻击	110	15	57	降低对方25点战斗时最高HP
遍地开花	特殊攻击	135	15	60	命中后10%令对方麻痹
电能狂暴	属性攻击	–	10	63	自身特攻+2，自身特防–1
百万冲顶	物理攻击	135	5	65	–
高压电脉冲	特殊攻击	150	5	70	–

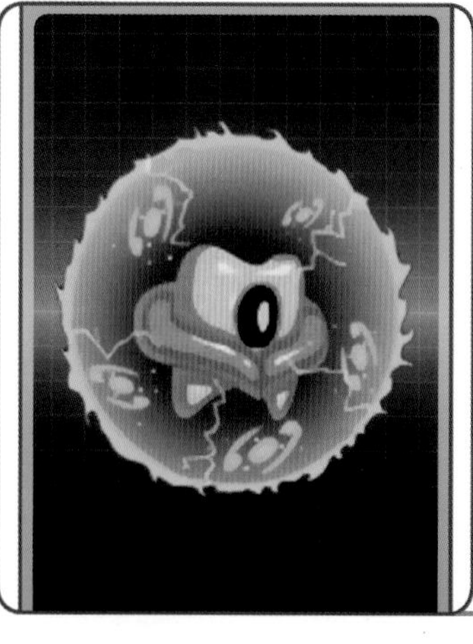

眼球

捕捉方法 赛尔号眼球出现在塔克星，出现时间：12点、13点、14点、17点、18点、20点。目前只出现在光之城，每次出现时间大约为5分钟。捕捉时最好带上超能胶囊或无敌胶囊，以确保万无一失。不过，用普通胶囊其实也是可以捉到眼球的，但几率较低。

眼球 → **刹洛眼** **迪修眼** **詹士眼**

ID：269
属性：地面
身高：40 cm
体重：5kg
进化：30级

ID：270
属性：超能
身高：50 cm
体重：10kg
进化：——

ID：271
属性：地面
身高：90 cm
体重：60kg
进化：——

ID：272
属性：战斗
身高：80 cm
体重：40kg
进化：——

注意：眼球30级可以去进化舱进化，眼球可以在30级之后任意一个等级进化为其他分支属性精灵。而如果不选择进化，那么就一直是眼球的形态，并且学习的是普通系眼球的技能，所以请大家在选择等级进化时慎重考虑。进化用的材料需要30个大地之核或者30个纯净结晶或者30个晶化气泡。

名称	属性	技名	攻击类型	威力	使用次数	学习等级	特殊效果
眼球	普	敲打	物理攻击	40	30	1	20%的几率使对手的防御降低1个等级
		视觉干扰	属性攻击	–	40	5	使对手的命中降低1个等级
		能量弹	物理攻击	55	25	9	–
		眼部光线	特殊攻击	40	40	13	–
		洞察之视	属性攻击	–	20	17	使自己的速度提升1个等级
		缠斗	物理攻击	70	30	21	15%的几率使对手的速度降低1个等级
		贯穿射线	特殊攻击	60	25	25	20%的几率使对手的特防降低1个等级
		遮蔽屏障	属性攻击	–	10	29	抵御100点任意伤害
		伤害射线	物理攻击	70	20	33	附加50点固定伤害
		回转射线	特殊攻击	100	15	37	15%的几率使对手的特防降低1个等级
		愤怒之视	属性攻击	–	15	41	使自己的攻击提升1个等级
		混乱射线	物理攻击	100	10	45	5%的几率使对手害怕
		防护罩	属性攻击	–	10	49	使自己免疫1次伤害
		疯狂射线	特殊攻击	120	5	53	20%的几率使自己的特攻提升1个等级
		战栗之视	属性攻击	–	5	57	一定几率使对手害怕
		毁灭射线	物理攻击	130	5	61	20%的几率使对手的防御降低1个等级

名称	属性	技名	攻击类型	威力	使用次数	学习等级	特殊效果
刹洛眼	超能	敲打	物理攻击	40	30	1	20%的几率使对手的防御降低1个等级
		视觉干扰	属性攻击	–	40	5	使对手的命中降低1个等级
		能量弹	物理攻击	55	25	9	
		眼部光线	特殊攻击	40	40	13	
		洞察之视	属性攻击	–	20	17	使自己的速度提升1个等级
		缠斗	物理攻击	70	30	21	15%的几率使对手的速度降低1个等级
		贯穿射线	特殊攻击	60	25	25	20%的几率使对手的特防降低1个等级
		遮蔽屏障	属性攻击	–	10	29	抵御100点任意伤害
		瓦解射线	特殊攻击	80	20	34	20%的几率使对手的攻击与防御降低1个等级
		失神之视	属性攻击	–	15	38	使对手的攻击与特攻降低1个等级
		痛苦射线	特殊攻击	–	15	42	10%的几率使对手中毒
		假眼	属性攻击	–	10	46	使自己免疫异常状态,持续5回合
		未来射线	特殊攻击	–	10	50	随机威力50~150
		眼球的掌控	属性攻击	–	5	54	自己体力降低至0点,使下一个精灵的防御与特防提升1个等级
		心智利刃	物理攻击	100	10	58	使对手的体力上限降低10点
		千目警示波	特殊攻击	150	5	62	20%的几率使自己的命中提升1个等级
迪修眼	地面	敲打	物理攻击	40	30	1	20%的几率使对手的防御降低1个等级
		视觉干扰	属性攻击	–	40	5	使对手的命中降低1个等级
		能量弹	物理攻击	55	25	9	–
		眼部光线	特殊攻击	40	40	13	–
		洞察之视	属性攻击	–	20	17	使自己的速度提升1个等级
		缠斗	物理攻击	70	30	21	15%的几率使对手的速度降低1个等级
		贯穿射线	特殊攻击	60	25	25	20%的几率使对手的特防降低1个等级
		遮蔽屏障	属性攻击	–	10	29	抵御100点任意伤害
		重力碾压	物理攻击	90	15	34	10%的几率使对手的防御降低2个等级
		撼地震波	特殊攻击	10	10	38	附加120点固定伤害
		泥石奔腾	属性攻击	–	15	42	使自己的速度提升2个等级
		惯性拳	物理攻击	120	10	46	使自己造成致命一击的几率提升,持续3回合
		岩之铠甲	属性攻击	–	10	50	使自己的防御与特防提升2个等级,速度降低1个等级
		地动山摇	特殊攻击	130	5	54	15%的几率使对手的特防降低1个等级
		地泉喷涌	属性攻击	–	5	58	使自己承受的特殊伤害降低1/2,持续3回合
		星体粉碎拳	物理攻击	150	5	62	20%的几率提升自己的防御1个等级
詹士眼	战斗	敲打	物理攻击	40	30	1	20%的几率使对手的防御降低1个等级
		视觉干扰	属性攻击	–	40	5	使对手的命中降低1个等级
		能量弹	物理攻击	55	25	9	–
		眼部光线	特殊攻击	40	40	13	–
		洞察之视	属性攻击	–	20	17	使自己的速度提升1个等级
		缠斗	物理攻击	70	30	21	15%的几率使对手的速度降低1个等级
		贯穿射线	特殊攻击	60	25	25	20%的几率使对手的特防降低1个等级
		遮蔽屏障	属性攻击	–	10	29	抵御100点任意伤害
		铁山靠	物理攻击	85	15	34	若自己处于异常状态,则伤害提升至2倍
		回转射线	特殊攻击	100	15	38	15%的几率使对手的特防降低1个等级
		威吓之视	属性攻击	–	15	42	使对手的攻击降低2个等级
		破绽打击	物理攻击	120	10	46	必定命中对手
		决斗之视	属性攻击	–	5	50	使自己的攻击提升2个等级
		疯狂射线	特殊攻击	120	5	54	20%的几率使自己的特攻提升1个等级
		真实残影	属性攻击	–	5	58	使自己的防御与对手相同,持续3回合
		超光速空翻	物理攻击	150	5	62	20%的几率使自己的速度提升1个等级

赛尔号 SEER

SPT BOSS挑战篇

暗黑之门制胜篇

稀有精灵捕捉篇

绝版精灵纪念馆

绝版精灵纪念馆篇

利利 ID ≫ 019

属性 ≫ 电	身高 ≫ 42cm	体重 ≫ 4.7kg	进化 ≫ 21级

机灵、活泼的利利，蹦蹦跳跳、神出鬼没，很少有人能看到它的行踪。

招式	攻击类型	威力	使用次数	学习等级	特殊效果
撞击	物理攻击	35	35	1	–
鸣叫	属性攻击	–	40	5	使对方攻击降低1个等级
电磁波技	属性攻击	–	20	10	命中时使对方麻痹
鬼脸	属性攻击	–	15	18	使对方速度降低2个等级

绵绵 ID ≫ 020

属性 ≫ 电	身高 ≫ 60cm	体重 ≫ 28.8kg	进化 ≫ 37级

利利的进化形态，圆鼓鼓的肚子藏着强大的电力，特攻能力出色，绰号叫面包机,传闻会做面包。

招式	攻击类型	威力	使用次数	学习等级	特殊效果
电气震	特殊攻击	40	30	21	5%的几率使对方麻痹
充电	属性攻击	–	20	25	下回合电系技能威力为2倍
放电	特殊攻击	80	15	29	5%的几率使对方麻痹
火焰拳	物理攻击	75	15	33	10%的几率使对方烧伤

电击兔 ID ≫ 021

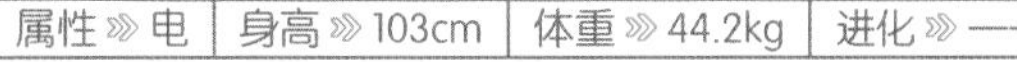

属性 ≫ 电	身高 ≫ 103cm	体重 ≫ 44.2kg	进化 ≫ ——

绵绵的进化型态，被它电到可不得了，特攻能力达到了一个更高的境界。

招式	攻击类型	威力	使用次数	学习等级	特殊效果
雷电拳	物理攻击	75	15	38	5%的几率使对方麻痹
电光波	特殊攻击	75	15	42	5%的几率使对方麻痹
光之壁	属性攻击	–	20	51	5回合内，使自身受到特殊攻击伤害减半
能量冲击	特殊攻击	70	20	59	–
轰天雷	特殊攻击	120	10	68	5%的几率使对方麻痹

绝版原因 由于闪光利利的出现而被替代。

奇洛

ID ≫ 056

属性 ≫ 地面	身高 ≫ 51cm	体重 ≫ 8.9kg	进化 ≫ 16级

爱旅行的精灵，从出生的那一刻，就开了他持续一生的旅行。走到陆地的尽头，走到海洋的深渊，走到进化那一天的到来。

招式	攻击类型	威力	使用次数	学习等级	特殊效果
叩击	物理攻击	40	40	1	–
瞪眼	属性攻击	–	30	5	使对方防御降低1个等级
冲撞	物理攻击	45	30	10	后出手时威力为2倍
灰尘	属性攻击	–	30	15	使对方特攻降低1个等级

杰拉特

ID ≫ 057

属性 ≫ 地面	身高 ≫ 79cm	体重 ≫ 21.2kg	进化 ≫ 35级

奇洛的进化形态，防御能力突出。沉默的杰拉特不再盲目得旅行，他开始了创造之旅，寻找最佳的材料，构建自己的巢穴。

招式	攻击类型	威力	使用次数	学习等级	特殊效果
冲锋	物理攻击	50	30	19	优先出招
大地之墙	属性攻击	–	20	23	使自身防御提升2个等级
大地之拳	物理攻击	65	25	27	容易打出致命一击
威慑	属性攻击	–	20	31	使对方攻击降低1个等级

塔奇拉顿

ID ≫ 058

属性 ≫ 地面	身高 ≫ 138cm	体重 ≫ 97.4kg	进化 ≫ ——

杰拉特的进化形态，强健的体魄，让他具有无比强大的防御力，以王者的形态出现在人们的眼前。

招式	攻击类型	威力	使用次数	学习等级	特殊效果
碎裂撞击	物理攻击	80	25	36	15%的几率降低对方防御1个等级
超重拳	物理攻击	120	10	40	技能使用成功后，使自身疲惫1回合
大地之盾	属性攻击	–	20	44	使自身特防提升2个等级
硬化冲击	物理攻击	90	20	48	20%的几率提升自身防御1个等级
反击风暴	属性攻击	–	10	52	4~5回合，每回合反弹对手1/4的伤害
冲烈破	物理攻击	60	10	57	连续攻击对方2~3次

绝版原因 原本在邪恶海盗任务完成后可以获得，现该任务已下线。

格林

ID » 062

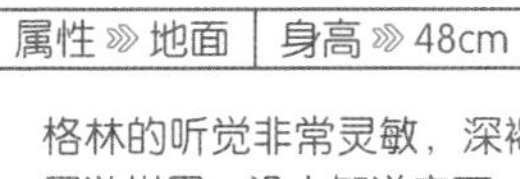

属性 » 地面 | 身高 » 48cm | 体重 » 7.6kg | 进化 » 16级

格林的听觉非常灵敏，深褐甲壳是它的自我保护系统，喜欢周游世界，没人知道它下一次会去哪里旅行。

招式	攻击类型	威力	使用次数	学习等级	特殊效果
撞击	物理攻击	35	35	1	-
灰尘	属性攻击	-	30	5	使对方特攻降低1个等级
连打	物理攻击	20	35	10	连续攻击对方2~4次
尘土	特殊攻击	30	35	15	-

格力姆

ID » 063

属性 » 地面 | 身高 » 69cm | 体重 » 20.3kg | 进化 » 36级

由格林进化而来，顽皮的本质开始显现，不再胆小的龟缩在洞中，喜欢四处玩耍、恶作剧，弄得周围的精灵们烦恼不堪。

招式	攻击类型	威力	使用次数	学习等级	特殊效果
卷土	属性攻击	-	20	20	使自身防御和特防提升1个等级
沙暴连打	物理攻击	40	35	24	连续攻击对方2~3次
飞泥	属性攻击	-	30	28	使对方命中降低1个等级
土龙闪	特殊攻击	50	30	32	后出手时威力为2倍

格鲁奇高

ID » 064

属性 » 地面 | 身高 » 92cm | 体重 » 45.6kg | 进化 » ——

由格力姆进化而来，强悍的体魄造就了它强有力的攻击力和优秀的防御力，格鲁奇高会为了捍卫自己的族群而拼死战斗。

招式	攻击类型	威力	使用次数	学习等级	特殊效果
沙暴冲撞	物理攻击	100	15	37	对方所受伤害的1/4会反弹到自己
沙尘冲击	特殊攻击	65	25	41	-
神秘之力	属性攻击	-	20	45	使自身攻击和特攻提升1个等级
地之守护	属性攻击	-	10	53	恢复自身1/3的体力
沙尘烈冲	特殊攻击	80	25	57	15%的几率降低对方防御1个等级
天摇地动	特殊攻击	120	10	62	-

绝版原因 已离开帕诺星系。

帕诺

ID ≫ 080

属性 ≫ 机械	身高 ≫ 20cm	体重 ≫ 3kg	进化 ≫ 16级

为了奖励精灵王争霸赛中优秀的小赛尔们，博士制作了这只机械精灵帕诺，它的太阳能板储存大量的电力，帮助赛尔们完成各种任务。

招式	攻击类型	威力	使用次数	学习等级	特殊效果
快攻	物理攻击	45	40	1	优先出招
闪光弹	属性攻击	–	30	5	使对方命中降低1个等级
探知	属性攻击	–	30	10	使自身命中提升2个等级
磁力波	特殊攻击	50	40	15	15%的几率降低对方速度1个等级

帕拉斯

ID ≫ 081

属性 ≫ 机械	身高 ≫ 45cm	体重 ≫ 10kg	进化 ≫ 35级

帕诺的进化形态，轻盈的体态一成不变，储电能力进一步提升，智能和战斗力得到极大的提升，成长为战斗中的英勇的战士。

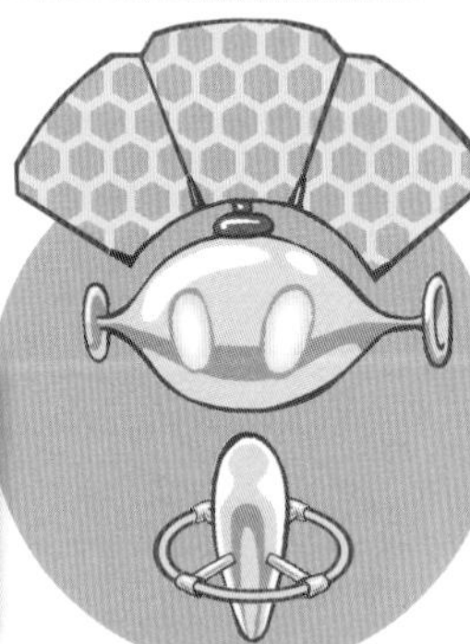

招式	攻击类型	威力	使用次数	学习等级	特殊效果
冲击	物理攻击	60	35	20	容易打出致命一击
激光	特殊攻击	65	35	24	–
太阳能	属性攻击	–	20	28	下回合攻击伤害是正常状态下的2倍
能量光波	特殊攻击	75	30	32	–

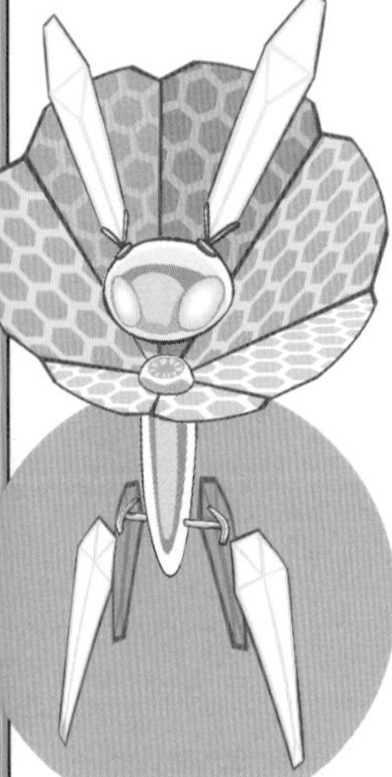

帕尔西丝

ID ≫ 082

属性 ≫ 机械	身高 ≫ 60cm	体重 ≫ 15kg	进化 ≫ ——

帕拉斯的进化形态，因为太阳能的大量储蓄，使它拥有光鲜的外表，随之战斗能力也不断提升。帕尔西丝身形轻盈，酷爱吃蜂胶，在精灵中有着大黄蜂的美称。

招式	攻击类型	威力	使用次数	学习等级	特殊效果
钢铁冲撞	物理攻击	80	20	36	–
攻击模式	属性攻击	–	20	40	使自身攻击和特攻提升1个等级
高能射线	特殊攻击	85	25	43	15%的几率降低对方防御2个等级
飞翔之翼	物理攻击	80	20	46	优先出招
防御模式	属性攻击	–	20	49	使自身防御和特防提升1个等级
凌光	特殊攻击	90	20	52	15%的几率降低对方特防2个等级
飞空斩击	物理攻击	90	20	55	必定命中对方
协调模式	属性攻击	–	15	59	使自身特攻和防御以及速度提升1个等级
聚能光线	特殊攻击	150	5	65	20%的几率提升自身特攻1个等级

绝版原因 原本为精灵王争霸赛奖励，现比赛已经结束。

尼布 ID ≫ 095

属性 ≫ 水	身高 ≫ 65cm	体重 ≫ 10kg	进化 ≫ 27级

长相坏坏的小恶魔尼布，被称为水中清道夫的神奇精灵，它的皮肤会慢慢净化水环境，一切污染在它面前都是不值得一提呢。

招式	攻击类型	威力	使用次数	学习等级	特殊效果
突击	物理攻击	45	40	1	–
齿突	物理攻击	60	25	5	5%的几率使对方害怕
洒水	属性攻击	–	40	9	使对方特攻降低1个等级
水流喷射	特殊攻击	40	20	13	优先出招
诅咒	属性攻击	–	10	17	使自身攻击和防御提升1个等级，但速度降低1个等级
水柱	特殊攻击	60	35	20	–
水墙	属性攻击	–	25	23	使自身特防提升2个等级
水之牙	物理攻击	65	35	26	后出手时威力为2倍

尼斯克 ID ≫ 096

属性 ≫ 水	身高 ≫ 98cm	体重 ≫ 102kg	进化 ≫ ——

尼布长大咯，威猛壮硕的姿态让水里的小精灵们都害怕它呢，别看它长得吓人啦，它是非常善良温柔的精灵呢。

招式	攻击类型	威力	使用次数	学习等级	特殊效果
水之尾	物理攻击	90	10	30	–
蓄力	属性攻击	–	30	34	使自身攻击提升2个等级
水流飞溅	特殊攻击	85	20	38	15%的几率降低对方防御1个等级
咬碎	物理攻击	100	15	42	15%的几率降低对方防御2个等级
阻挠	属性攻击	–	30	46	使对方命中降低1个等级
海浪	特殊攻击	100	15	50	15%的几率降低对方攻击1个等级
水流冲撞	物理攻击	120	10	55	技能使用成功后会降低自身攻击1个等级

绝版原因 原为完成站长归来任务之奖励，现任务已下线。

布鲁

ID » 108

属性 » 水	身高 » 40cm	体重 » 5.1kg	进化 » 18级

布鲁是浪漫的海洋漫游者，在各个星球的海域中遨游徜徉，是一只喜欢幻想的精灵。

招式	攻击类型	威力	使用次数	学习等级	特殊效果
撞击	物理攻击	35	35	1	–
瞪眼	属性攻击	–	30	6	使对方防御降低1个等级
洒水	属性攻击	–	40	11	使对方特攻降低1个等级
水泡	特殊攻击	40	40	16	

布鲁布

ID » 109

属性 » 水	身高 » 43cm	体重 » 8.3kg	进化 » 39级

布鲁的进化形态，由于漫游四海的缘故，游泳能力变得很强，巨大的腮保障了它深海呼吸的通畅。即使是独自在水中玩耍也会觉得很幸福。

招式	攻击类型	威力	使用次数	学习等级	特殊效果
水射线	特殊攻击	55	40	21	10%的几率使对方冻伤
挥舞	物理攻击	50	40	26	额外增加20点固定伤害
吸水	属性攻击	–	20	31	使自身特防提升2个等级
水流飞溅	特殊攻击	70	35	36	10%的几率使对方冻伤

布鲁克克

ID » 110

属性 » 水	身高 » 59cm	体重 » 9.8kg	进化 » ——

布鲁布的进化形态，经过长期的锻炼体格变得非常强健有力，是传说中的游泳健将和潜水高手哦。

招式	攻击类型	威力	使用次数	学习等级	特殊效果
波涛碰撞	物理攻击	80	30	40	对方所受伤害的1/4会反弹到自己
贯穿水枪	特殊攻击	70	25	44	先出手时威力为2倍
呐喊	属性攻击		20	48	使对方特攻降低2个等级
海浪咆哮	特殊攻击	90	20	52	10%的几率使对方冻伤
闪光一击	物理攻击	70	30	55	更加优先出招
暴风雨	特殊攻击	120	10	58	15%的几率降低对方特防1个等级
破浪冲击	物理攻击	100	15	61	15%的几率降低对方特防1个等级
蓝光水泵	特殊攻击	150	5	64	-
海洋之心	属性攻击	–	20	70	降低对方1/4的体力

绝版原因 已离开帕诺星系。

拉博

ID » 126

属性 » 战斗	身高 » 61.3cm	体重 » 32.5kg	进化 » 29级

来自卡兰星系的神奇战斗系精灵，精灵中的武学高手，总是用各种极端的锻炼方式默默的磨练自己。

招式	攻击类型	威力	使用次数	学习等级	特殊效果
搏斗	物理攻击	40	40	1	–
乱突	物理攻击	15	20	5	连续攻击对方2~5次
气力	属性攻击	–	40	9	使自身攻击1个等级
元气波	特殊攻击	45	40	13	–
左右互搏	物理攻击	55	35	17	15%的几率降低对方防御1个等级
蓄气	属性攻击	–	30	21	5回合内，提高自身打出致命一击的几率
隔空掌	特殊攻击	60	35	25	优先出招
猛攻	物理攻击	80	20	28	–

库博

ID » 127

属性 » 战斗	身高 » 87.1cm	体重 » 36.2kg	进化 » ——

拉博的进化形态，成长得非常精干有力，精进了战斗技巧，成长为一位强力低调的武者。

招式	攻击类型	威力	使用次数	学习等级	特殊效果
拳气	特殊攻击	80	25	32	必定命中对方
斗志	属性攻击	–	30	36	使自身命中和速度提升1个等级
气绝掌	物理攻击	75	30	40	10%的几率使对方疲惫
气功波	特殊攻击	90	15	44	15%的几率降低对方特防1个等级
坚韧	属性攻击	–	20	48	使自身防御和特防提升1个等级
绝一闪	物理攻击	75	20	52	先出手时威力为2倍
爆裂气	特殊攻击	100	10	56	20%的几率提升自身特攻1个等级
斗气	属性攻击	–	20	60	使自身攻击提升2个等级
破釜沉舟	物理攻击	135	5	65	技能使用后会降低自身防御1个等级

绝版原因 原为完成不可思议的精灵学者任务后获得，现任务已下线。

奇塔 ID 》102

属性 》机械	身高 》48cm	体重 》9kg	进化 》9级

赫尔卡星文明遗迹中诞生的机械系精灵，从诞生开始沉睡了千年等待有人来开启它，现在它等到了小赛尔。

招式	攻击类型	威力	使用次数	学习等级	特殊效果
冲撞	物理攻击	45	30	1	后出手时威力为2倍
瞄准	属性攻击	–	40	5	使自身命中提升1个等级
钢之爪	物理攻击	50	35	10	20%的几率提升攻击1个等级
合金铁弹	特殊攻击	50	40	15	–

钢塔斯 ID 》103

属性 》机械	身高 》70cm	体重 》23kg	进化 》23级

奇塔的升级版本，奇异的粉色钢材韧劲十足，暴发力很强，是战斗型机械精灵的典范。

招式	攻击类型	威力	使用次数	学习等级	特殊效果
强攻	物理攻击	60	35	20	对方体力少于一半时威力加倍
金属声波	属性攻击	–	40	25	使对方防御降低1个等级
金属爆破	特殊攻击	65	25	30	对方体力少于一半时，威力加倍
钢铁冲击	物理攻击	80	20	35	–

雷吉姆斯 ID 》104

属性 》机械	身高 》100cm	体重 》45kg	进化 》——

钢塔斯的升级版本，将它称作“钢铁战士”真是再合适不过了，无论什么类型的战斗都难不倒它哦！

招式	攻击类型	威力	使用次数	学习等级	特殊效果
火焰碰撞	物理攻击	70	20	40	10%的几率使对方烧伤
守护	属性攻击	–	30	44	使自身防御提升2个等级
双管火焰	特殊攻击	75	20	48	–
狂攻	物理攻击	45	35	51	连续攻击对方2~3次
蓄力	属性攻击	–	30	54	使自身攻击提升2个等级
高能光波	特殊攻击	85	25	57	5%的几率使对方疲惫
原始能量	属性攻击	–	20	60	提升攻击、防御、特防提升1个等级
热能激光	特殊攻击	105	15	63	–
百裂冲击	物理攻击	150	5	67	必定命中对方

绝版原因 原为完成遗迹中的精灵信号任务后获得，现任务已下线。

迪卢卡 ID » 139

属性 » 超能	身高 » 83.2cm	体重 » 32.1kg	进化 » 30级

被时间空间所阻隔的超能精灵，没人知道它诞生在哪里，没人知道它生活在哪里，当它想出现的时候它就出现了！

招式	攻击类型	威力	使用次数	学习等级	特殊效果
拍打	物理攻击	40	35	1	–
猛击	物理攻击	60	30	4	–
感应	属性攻击	–	30	9	使自身特防提升2个等级
念力波	特殊攻击	45	40	14	–
精神控制	属性攻击	–	5	19	使对方的技能使用次数减少2点
四散光线	特殊攻击	60	35	23	–
超闪光	特殊攻击	75	30	26	15%的几率降低对方命中1个等级
炎火冲	物理攻击	65	25	29	10%的几率使对方烧伤

艾迪希洛 ID » 140

属性 » 超能	身高 » 137.5cm	体重 » 40.5kg	进化 » ——

迪卢卡的进化形态，比起小时候，它更加沉默寡言，独行侠一般，帮助弱小的精灵，却又从来没人能够找到它的踪迹。

招式	攻击类型	威力	使用次数	学习等级	特殊效果
清除术	属性攻击	–	20	34	清除对方能力提升的效果
海浪翻滚	特殊攻击	65	25	39	10%的几率使对方冻伤
迅捷突击	物理攻击	70	25	44	优先出招
星光	特殊攻击	85	20	49	20%的几率提升自身特攻1个等级
护体光环	属性攻击	–	20	54	5回合内，使自身不受能力下降影响
极限光波	特殊攻击	100	15	57	15%的几率降低对方特防1个等级
真空刃	物理攻击	100	15	60	容易打出致命一击
超能力	属性攻击	–	20	63	下2回合攻击伤害是正常状态下的2倍
流星陨落	特殊攻击	130	10	67	–

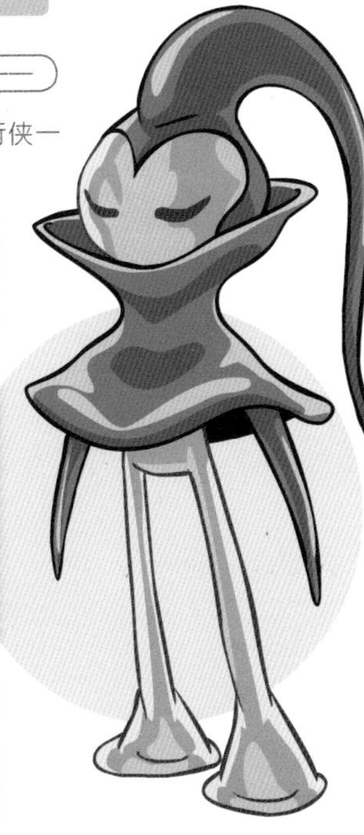

绝版原因 原本为完成时空之门任务后获得的奖励，现任务已下线。

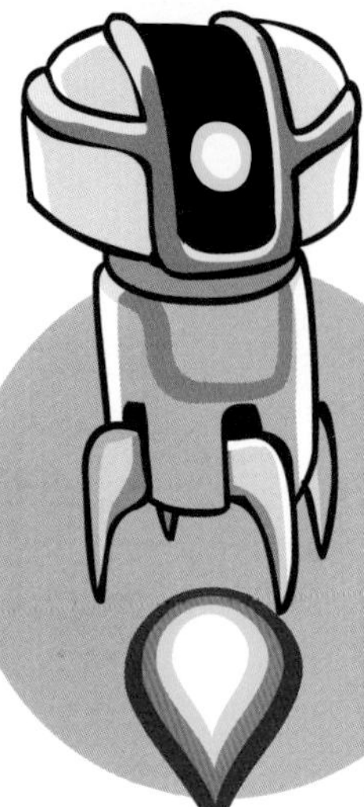

卡塔 ID » 143

属性 » 机械	身高 » 53.2cm	体重 » 18.7kg	进化 » 28级

赫尔卡星千年前文明的产物，早期的非自然精灵，具有强大的防御性，强韧有力。

招式	攻击类型	威力	使用次数	学习等级	特殊效果
撞击	物理攻击	35	35	1	–
重击	物理攻击	50	35	5	–
铁臂	属性攻击	–	20	9	使自身防御和特防提升1个等级
激光	特殊攻击	65	35	13	–
金属声波	属性攻击	–	40	17	使对方防御降低1个等级
钢铁冲击	物理攻击	80	20	21	–
信号波	属性攻击	–	30	24	自身命中提升1个等级
电光射线	特殊攻击	75	25	27	5%的几率使对方麻痹

赫卡特 ID » 144

属性 » 机械	身高 » 87.3cm	体重 » 35.9kg	进化 » ——

以守卫为目的开发出来的卡塔升级模式，在性能上有了很大的提升，是非常好的守城机器人，具有超强无敌的防御能力式。

招式	攻击类型	威力	使用次数	学习等级	特殊效果
炸裂飞弹	特殊攻击	75	30	31	15%的几率降低对方特防1个等级
旋转铁拳	物理攻击	90	20	35	必定命中对方
紧急防御	属性攻击	–	30	39	可以完全抵挡1次攻击
螺旋光线	特殊攻击	90	20	43	–
岩铁碎	物理攻击	100	20	47	15%的几率降低对方防御1个等级
软化光线	属性攻击	–	35	51	使对方攻击和特攻降低1个等级
千斤重锤	物理攻击	120	15	55	15%的几率降低对方防御1个等级
铜墙铁壁	属性攻击	–	20	60	使自身防御和特防提升2个等级
充能光炮	特殊攻击	120	15	65	20%的几率提升自身特攻1个等级

绝版原因 原为进行赫尔卡星千年之谜任务过程中捕捉，现任务已下线。

祖拉

ID » 196

属性 » 超能	身高 » 69.7cm	体重 » 18.3kg	进化 » 30级

祖拉是一只善于用意念力和超能力的精灵，柔软的触角保护着它，让它可以悠闲冷静的观察敌人，找出致命弱点。

招式	攻击类型	威力	使用次数	学习等级	特殊效果
触角	物理攻击	40	40	1	–
精神控制	属性攻击		5	5	使对方的技能使用次数减少2点
念力射线	特殊攻击	50	35	9	–
模仿术	属性攻击	–	20	14	5回合内，使自身的防御力和对手相同
四散光线	特殊攻击	60	35	18	–
猛击	物理攻击	30		22	使对方防御降低2个等级
魔眼	属性攻击		30	26	命中时使对方害怕
超闪光	特殊攻击	75	30	29	15%的几率降低对方命中1个等级

亚梅丝

ID » 197

属性 » 超能	身高 » 61.3cm	体重 » 19kg	进化 » ——

祖拉的进化形态，生成了保护性极强的幻影斗篷，侠客一般游走四方，寻找能够与自己匹敌的宿命对手。

招式	攻击类型	威力	使用次数	学习等级	特殊效果
无力光线	属性攻击	–	20	37	使对方攻击降低2个等级
藤鞭	特殊攻击	80	25	41	10%的几率使对方中毒
空烈闪	物理攻击	45	35	45	连续攻击对方2~3次
意念集中	属性攻击		20	50	使自身特攻和命中提升1个等级
黑光波	特殊攻击	100	15	54	容易打出致命一击
软体攻击	物理攻击	90	20	58	15%的几率降低对方攻击1个等级
幻影斗篷	属性攻击	–	20	62	5回合内，使自身受到特殊攻击伤害减半
透明光束	特殊攻击	125	10	66	连续使用每次威力增加20，最高增加威力80

绝版原因 原为在2009年12月31日抽金蛋活动中获得，现活动已完结。

TOE ID » 213

属性 » 机械	身高 » 53cm	体重 » 57kg	进化 » 29级

赛尔号最新型的维修、清扫型辅助机械精灵，所有死角都不放过，每个赛尔都值得拥有。

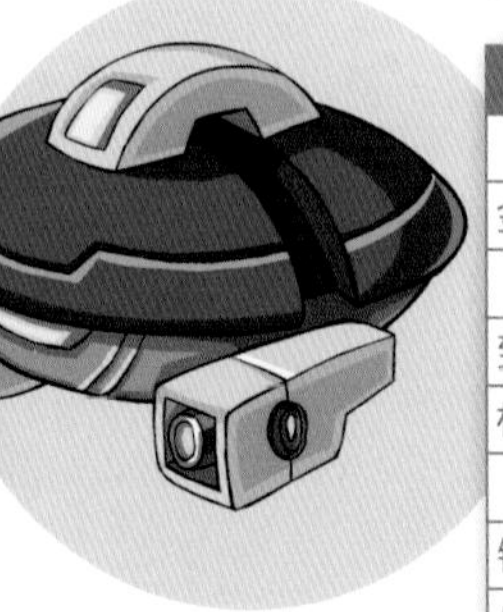

招式	攻击类型	威力	使用次数	学习等级	特殊效果
撞击	物理攻击	35	35	1	–
金属声波	属性攻击	–	40	6	使对方防御降低1个等级
光波	特殊攻击	45	40	11	–
致命撞击	物理攻击	60	20	14	容易打出致命一击
机能修复	属性攻击	–	20	18	恢复自身1/4的体力
激光	特殊攻击	65	35	20	–
钢铁冲击	物理攻击	80	20	24	–
导力光波	特殊攻击	75	35	28	–

TOH ID » 214

属性 » 机械	身高 » 87cm	体重 » 89kg	进化 » ——

TOE的升级版本，工作能力更强更全面，当然战斗能力也非常出色，为了保护赛尔会奋不顾身的战斗。

招式	攻击类型	威力	使用次数	学习等级	特殊效果
疯狂冲撞	物理攻击	85	25	32	–
铜墙铁壁	属性攻击	–	20	36	使自身防御和特防提升2个等级
束能光线	特殊攻击	90	20	40	20%的几率提升自身防御1个等级
体挡	物理攻击	75	20	44	优先出招
完全修复	属性攻击	–	20	48	恢复自身全部体力，但疲惫1回合
TH爆破	特殊攻击	105	15	52	额外增加30点固定伤害
TE超重击	物理攻击	120	10	56	15%的几率降低对方防御1个等级
能量灌注	属性攻击	–	1	60	消耗自身全部体力,使下一只出战精灵的特攻和特防提升1个等级
TH轰击炮	特殊攻击	150	5	65	15%的几率降低对方特防1个等级

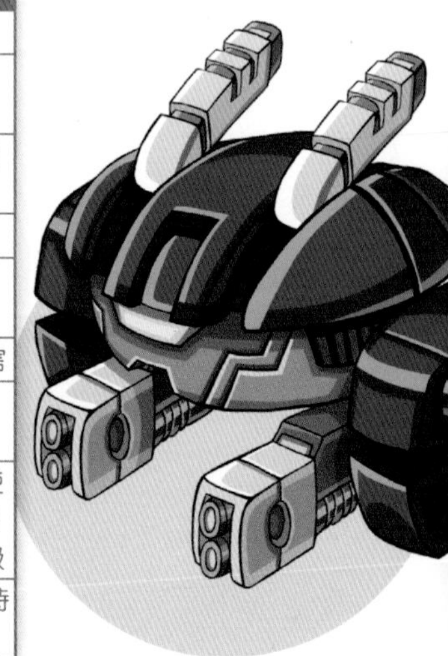

绝版原因 原为完成任务赛尔号大整修后获得，现任务已下线。

扎克 ID » 217

属性 » 暗影	身高 » 21.3cm	体重 » 0.5kg	进化 » 30级

善于使用黑暗力量的暗影精灵，像一颗种子一样扎根对手的心中，扰乱对方的意志力。

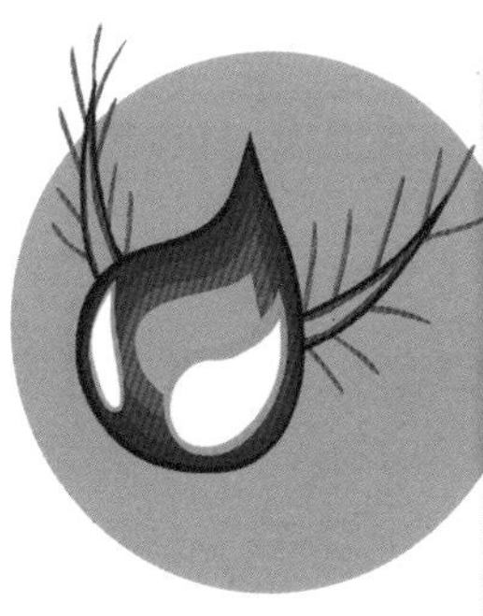

招式	攻击类型	威力	使用次数	学习等级	特殊效果
痛击	物理攻击	40	40	1	容易打出致命一击
遮蔽之眼	属性攻击	–	20	6	使对方命中降低1个等级
黑射线	特殊攻击	45	40	11	–
邪恶攻击	物理攻击	70	30	15	15%的几率降低对方防御1个等级
黑光波	属性攻击	–	40	18	使对方速度降低1个等级
暗影箭	特殊攻击	65	40	22	5%的几率使对方害怕
黑雾	属性攻击	–	30	25	使对方攻击和特攻降低1个等级
黑色闪电	特殊攻击	60	35	28	5%的几率使对方麻痹

扎夫特 ID » 218

属性 » 暗影	身高 » 87.2cm	体重 » 1.3kg	进化 » ——

扎克的进化形态，渗透能力变得更强，甚至能够完全操控对方，最后让对方魂飞魄散来制胜。

招式	攻击类型	威力	使用次数	学习等级	特殊效果
暗之利刃	物理攻击	80	25	32	容易打出致命一击
战栗	属性攻击	–	30	36	命中时使对方害怕
心灵震荡	特殊攻击	40	20	40	额外增加80点固定伤害
黑暗缠绕	物理攻击	90	20	44	15%的几率使对方速度降低1个等级
黑暗能源	属性攻击	–	30	48	使自身特攻和速度提升1个等级
绝影光线	特殊攻击	100	15	52	20%的几率使自身速度提升1个等级
无影追击	物理攻击	105	10	56	必定命中对方
移形换影	属性攻击	–	30	60	使自身的能力降低状态反馈给对方
魂飞魄散	特殊攻击	140	10	65	5%的几率使对方害怕

绝版原因 原神秘空间精灵，现已消失。

依卢 ID ≫ 219

属性 ≫ 光	身高 ≫ 14.2cm	体重 ≫ 1.7kg	进化 ≫ 30级

罕见的光系精灵，撑着烈阳般的顶棚，时而射出耀眼的光芒，让人无法鄙视。

招式	攻击类型	威力	使用次数	学习等级	特殊效果
撞击	物理攻击	35	35	1	–
闪光	属性攻击	–	30	6	使对方命中降低1个等级
光弹	特殊攻击	50	40	11	–
电光火石	物理攻击	40	30	16	优先出招
封印	属性攻击	–	10	18	使对方攻击和特攻降低1个等级
四散光波	特殊攻击	70	35	22	必定命中对方
感应	属性攻击	–	30	25	使自身特防提升2个等级
裂空刃	物理攻击	75	25	28	对方体力少于一半时威力加倍

依希亚 ID ≫ 220

属性 ≫ 光	身高 ≫ 38.3cm	体重 ≫ 5.5kg	进化 ≫ ——

依卢的进化形态，笼罩于强光之中，对光能的掌控得心应手，能根据波长凝聚出5色光芒，射向威胁自己的对手。

招式	攻击类型	威力	使用次数	学习等级	特殊效果
金光闪烁	特殊攻击	90	20	33	清除对方能力提升的效果
明亮	属性攻击	–	30	37	使对方速度降低1个等级
光闪击	物理攻击	70	30	41	绝对优先出招
五彩灵	特殊攻击	30	20	45	连续攻击对方3~5次
聚焦	属性攻击	–	20	49	使自身命中提升1个等级
聚光波	特殊攻击	80	15	53	对方体力少于一半时威力加倍
炫光冲击	物理攻击	80	15	57	先出手时威力为2倍
凝神	属性攻击	–	20	61	使自身特攻提升2个等级
阳光普照	特殊攻击	145	5	66	必定命中对方

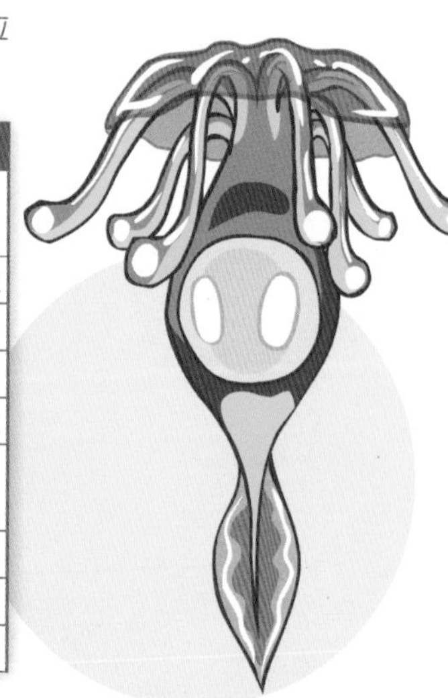

绝版原因 原神秘空间精灵，现已消失。

迅牙虎 ID » 298

属性 » 地面	身高 » 25.7cm	体重 » 10.3kg	进化 » 35级

机敏可爱、虎虎生风的迅牙虎是非常稀有的精灵，炫彩的外形、超强的战斗力，让所有热爱精灵的人都将它视为珍宝。

招式	攻击类型	威力	使用次数	学习等级	特殊效果
速爪	物理攻击	50	40	1	更加优先出招
进攻	属性攻击	–	40	8	使自身攻击提升1个等级
锋利之牙	物理攻击	70	30	15	更加容易打出致命一击
抵挡	属性攻击	–	–	20	使自身防御提升1个等级
断裂之击	物理攻击	90	20	25	10%的几率使对方疲惫
吼声	属性攻击	–	10	30	命中时使对方害怕

猛虎王 ID » 299

属性 » 地面	身高 » 140cm	体重 » 500kg	进化 » ——

迅牙虎的进化形态，成年的猛虎利爪坚韧、威风八面，是非常强悍的精灵年兽，传说中的精灵兽王。

招式	攻击类型	威力	使用次数	学习等级	特殊效果
无限连爪	物理攻击	5	15	40	连续攻击对方1~70次
果断	属性攻击	–	10	50	使自身命中提升1个等级
利爪岩铁碎	物理攻击	130	10	60	20%的几率降低对方防御1个等级
勇猛	属性攻击	–	10	70	使自身攻击提升2个等级
虎牙瞬迅击	物理攻击	150	5	80	25%的几率提升自身命中1个等级

绝版原因 超能NONO一次充值100元之奖励，现活动已结束。

嘟噜噜 ID 》252

属性 》普通	身高 》15cm	体重 》5kg	进化 》30级

嘟噜噜是天生的美食家，任何看似可以塞进嘴里的东西它都不会放过，当然这个习惯也让它们尝过不少苦头。

招式	攻击类型	威力	使用次数	学习等级	特殊效果
撞击	物理攻击	35	35	1	
瞪眼	属性攻击	–	30	5	使对手的防御降低1个等级
魔法星星	特殊攻击	20	35	9	连续攻击对手2~3次
蹦跳	属性攻击	–	10	13	先手攻击,使自己的速度提升1个等级
重击	物理攻击	50	35	17	
魔法火红泡	特殊攻击	60	25	21	10%的几率使对手烧伤
诅咒	属性攻击	–	10	25	使自己的攻击与防御提升1个等级,速度降低1个等级
缠斗	物理攻击	70	30	29	15%的几率使对手的速度降低1个等级

嘟噜噜王 ID 》253

属性 》普通	身高 》30cm	体重 》10kg	进化 》——

嘟噜噜的进化形态，肩负着保护嘟噜噜的责任，擅长使用冲撞方式对付来犯的敌人。

招式	攻击类型	威力	使用次数	学习等级	特殊效果
魔法天蓝泡	特殊攻击	75	20	33	10%的几率使对手冻伤
鬼脸	属性攻击	–	15	37	使对手的速度降低2个等级
浆果炸弹	物理攻击	90	30	41	15%的几率使对手的命中降低1个等级
魔法叶绿泡	特殊攻击	100	15	45	10%的几率使对手中毒
力量之泉	属性攻击	–	20	49	使自己的攻击提升2个等级
嘟噜风火轮	物理攻击	110	10	53	20%的几率使自己的攻击提升1个等级
魔法元素泡	特殊攻击	120	10	57	15%的几率使对手的特防降低1个等级
时空感应	属性攻击	–	10	61	驱散对手的能力提升效果
百万吨冲顶	物理攻击	135	5	65	5%的几率使自己疲惫

绝版原因 原在拉姆世界丛林，现已关闭。

嘟咕噜 ID » 254

属性 » 普通	身高 » 15cm	体重 » 5kg	进化 » 20级

嘟咕噜的警惕性相当高，任何企图靠近它的生物都会引起它的察觉，从而迅速隐藏起来。

招式	攻击类型	威力	使用次数	学习等级	特殊效果
撞击	物理攻击	35	35	1	
诱惑	属性攻击	–	20	7	使对手的命中降低1个等级
魔法星星	特殊攻击	20	35	13	连续攻击对手2~3次
聚焦	属性攻击	–	20	19	使自己的命中提升2个等级

嘟咕噜达 ID » 255

属性 » 普通	身高 » 30cm	体重 » 10kg	进化 » 40级

嘟咕噜的进化形态，能够熟练运用大自然赐予的魔法来对付敌人，是个令人头痛的家伙。

招式	攻击类型	威力	使用次数	学习等级	特殊效果
魔法火红泡	特殊攻击	60	25	21	10%的几率使对手烧伤
重击	物理攻击	50	35	25	
魔法天蓝泡	特殊攻击	75	20	29	10%的几率使对手冻伤
凝神	属性攻击	–	20	33	使自己的特攻提升2个等级
魔法叶绿泡	特殊攻击	90	15	37	10%令对方中毒

嘟咕噜王 ID » 256

属性 » 普通	身高 » 45cm	体重 » 15kg	进化 » ——

嘟咕噜达的进化形态，它的行踪捉摸不定，是一种罕见的精灵，据说远古时期曾受到大自然的庇护。

招式	攻击类型	威力	使用次数	学习等级	特殊效果
魔法叶绿泡	特殊攻击	100	15	37	10%的几率使对手中毒
沉默	属性攻击	–	20	41	使自己的防御与特防提升2个等级
浆果炸弹	物理攻击	90	30	45	15%的几率使对手命中降低1个等级
魔法先知球	特殊攻击	100	10	49	必定命中对手
星辰守护	属性攻击	–	5	53	先手攻击,使自己承受致命的伤害保留1点体力,持续1回合
魔法元素泡	特殊攻击	120	10	57	15%的几率使对手的特防降低1个等级
神灵之怒	物理攻击	120	5	61	15%的几率使对手的防御 降低1个等级
百变随心	属性攻击	–		65	使自己免疫能力下降,持续5回合
远古六芒阵	特殊攻击	145	5	69	对手提升能力越多,技能威力越大

绝版原因 原在拉姆世界丛林，现已关闭。

图书在版编目（CIP）数据

赛尔号攻关秘籍.4/上海淘米网络科技有限公司，北京炼金世纪国际传媒文化有限公司编著.—南京：江苏美术出版社，2010.7

ISBN 978-7-5344-3152-4

Ⅰ.①赛… Ⅱ.①上… ②北… Ⅲ.①智力游戏—儿童读物 Ⅳ.①G898.2

中国版本图书馆CIP数据核字（2010）第123020号

出品人 顾华明
责任编辑 陈冰青
设计制作 北京炼金世纪国际传媒文化有限公司
装帧设计 北京炼金世纪国际传媒文化有限公司
责任校对 吕猛进
监　　印 贲　炜

书　　名 赛尔号攻关秘籍4
编　　著 上海淘米网络科技有限公司
　　　　 北京炼金世纪国际传媒文化有限公司
出版发行 凤凰出版传媒集团
　　　　 江苏美术出版社（南京中央路165号 邮编210009）
集团网址 凤凰出版传媒网http://www.ppm.cn
经　　销 江苏新华发行集团有限公司
制　　版 江苏凤凰制版有限公司
印　　刷 南京精艺印刷有限公司
开　　本 889×1194 1/32
印　　张 2
版　　次 2010年7月第1版 2010年7月第1次印刷
标准书号 ISBN 978-7-5344-3152-4
定　　价 12.80元

营销部电话 025-68155666 68155670
营销部地址 南京市中央路165号5楼
江苏美术出版社图书凡印装错误可向承印厂调换

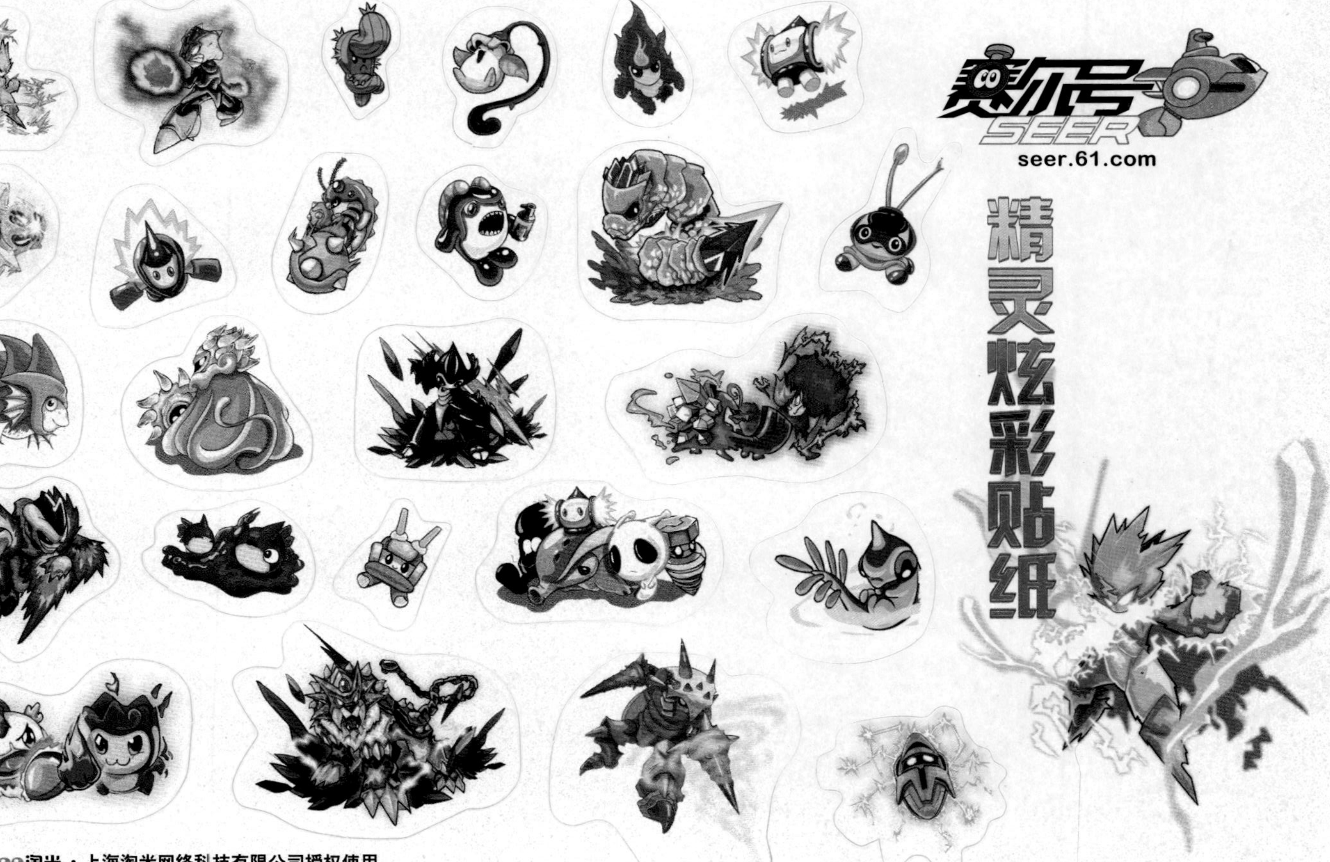
赛尔号
SEER
seer.61.com
精灵炫彩贴纸